história da
Pedagogia

Jean-Jacques Rousseau

Os sentidos da educação

Reflexões de um iluminista
sobre a infância, a política,
a moral e a educação pública

Teresa Cristina Rego - Organizadora

1ª edição
São Paulo, 2018

Editora Segmento

Dados Internacionais de Catalogação na Publicação (CIP)
(Câmara Brasileira do Livro, SP, Brasil)

Jean-Jaques Rousseau : os sentidos da educação :
reflexões de um iluminista sobre a infância,
a política, a moral e a educação pública /
Teresa Cristina Rego, organizadora. -- 1. ed. --
São Paulo : Editora Segmento, 2018. --
(História da pedagogia)
Vários autores.
Bibliografia.
ISBN 978-85-89636-32-2
1. Educação - Filosofia 2. Educação - História
3. Pedagogia 4. Política e educação 5. Rousseau,
Jean-Jacques, 1712-1778 I. Rego, Teresa Cristina.
II. Série.
18-19126 CDD-370.9

Índices para catálogo sistemático:
1. Educação : História 370.9
2. Pedagogia : História 370.9
Cibele Maria Dias - Bibliotecária - CRB-8/9427

Introdução

RESGATE DE IDEIAS FUNDADORAS

Este livro, o quinto da série História da Pedagogia, apresenta traços da vida e da vasta obra do multifacetado filósofo iluminista Jean-Jacques Rousseau (1712-1778), que costuma ser reconhecido como "o pai da pedagogia moderna" por suas contribuições originais ao debate pedagógico do século XVIII (como a valorização da infância no processo de formação).

Preocupado com o exame da condição humana, Rousseau é também destacado como um dos teóricos que melhor tratou das intricadas e complexas relações entre natureza e cultura, apresentando, ao mesmo tempo, elementos que valorizam uma e outra. Como bem examina Danilo R. Streck num dos textos deste volume: "Diria que Rousseau está presente quando e onde se procura ver o aprender como a grande possibilidade de nos tornarmos humanos, em toda a sua amplitude e radicalidade."

Os escritos pedagógicos do autor foram bastante revolucionários para seu tempo. Por essa razão ele costuma ser chamado de "O Copérnico da Pedagogia". Tal como Copérnico – que descentralizou o mundo dos astros – Rousseau, a partir de seus trabalhos, contribuiu para que a criança, e não mais o adulto, passasse a figurar como figura central da educação. Infelizmente, sua obra ainda é conhecida de forma muito parcial e fragmentada, em especial pelas novas gerações de educadores. Reside aí a principal razão para a publicação deste fascículo. Nesse sentido, concordamos com a afirmação da professora Carlota Boto em seu texto para esta publicação: "Refletir sobre o pensamento rousseauniano é, sob qualquer ponto de vista, uma tarefa tão clássica quanto atual. Em pedagogia como em política, a leitura de Rousseau é obrigatória. Como já assinalou alguém, podemos ser a favor ou ser contra suas ideias. Só não podemos passar sem sua referência".

O conjunto de autores aqui reunidos, importantes estudiosos da obra rousseauniana – Carlota Boto, Maria Fátima Simões, Danilo R. Streck, Priscila Grigoletto Nacarato, Robson Pereira Calça e Manoel Dionizio Neto –, demonstra o quanto seus postulados, embora formulados no século XVIII, ainda se mantêm atuais e férteis, servindo como fonte inspiradora para importantes estudos e reflexões relevantes no cenário educacional contemporâneo.

Temos certeza de que, após a leitura do volume, os leitores confirmarão o quanto o legado de Jean-Jacques Rousseau é fonte preciosa de inesgotável riqueza desde sua época até os nossos dias.

Vale informar que o conteúdo do presente livro foi originalmente publicado como um dos fascículos da Série História da Pedagogia, coleção especial da Revista Educação - Editora Segmento. Tal série – editada por Rubem Barros e por mim concebida e coordenada - foi vendida em bancas e livrarias de todo o país durante o ano de 2010, com expressiva receptividade do público leitor. Esta é a principal razão que nos motivou a publicar os textos das revistas em forma de livros.

Teresa Cristina Rego é professora
da Faculdade de Educação da USP

INTÉRPRETE DA POLÍTICA E DA INFÂNCIA*

por Carlota Boto

A educação rousseauniana destinava-se à formação do homem livre, cujo objetivo era estruturar um ser virtuoso

É sempre perigoso vincular a produção de uma obra ao relato da vida de seu autor. Se obviamente não se pode negar que a experiência do sujeito interfere diretamente na elaboração de seu trabalho de escrita, nem por isso se poderá concluir que o texto elaborado constitui mero reflexo de sua trajetória de existência. A despeito disso, no caso de Rousseau, parece quase irresistível apresentar esse entrelaçamento da vida com a obra. Definindo a si mesmo como homem de paradoxos, a coerência do trabalho de Rousseau é um desafio para todos os que meditam sobre sua vida.

Jean-Jacques Rousseau nasce em 28 de junho de 1712 em uma família de classe média de Genebra. Sua mãe morre alguns dias depois do nascimento do menino, o que marcará toda a infância de Jean-Jacques. O pai – Isaac Rousseau – era um relojoeiro que, desde cedo, aproximou o filho da literatura, como uma forma de compensar a ausência da figura materna. Em 1717, pai e filho mudam-se de casa, passando a viver em um bairro mais modesto. Rousseau, ainda na primeira infância, tem contato, então, com a decadência financeira de sua família, o que evidentemente impactou sua sociabilidade. Em 1722, o pai

* Parte do texto aqui apresentado integrou a tese de Livre Docência da autora, publicada pela editora UNESP sob o título: "Instrução Pública e projeto civilizador"

de Rousseau briga com um sujeito poderoso na cidade e tem de deixar Genebra, passando a viver em Nyon. O menino Jean-Jacques ficará sob a tutela de um tio, que o envia para estudar com um pastor de Bassey – Ministro Lambercier. Em 1724, Rousseau volta a Genebra e se torna aprendiz de um gravador, que, segundo ele, era um homem bruto e estúpido. Em 1726, o pai casa-se novamente.

No ano de 1728, Rousseau vai embora de Genebra. Torna-se amigo de Mme. de Warens, de quem acata a sugestão de converter-se ao catolicismo, abandonando, assim, sua raiz calvinista. É muito provável que tal decisão se tenha devido à hegemonia que o catolicismo possuía naquele tempo, e às dificuldades sociais, profissionais e políticas que viviam todos os que abraçavam outras confissões religiosas. Nos anos 1730, ganha a vida como professor de música, e vive sob a proteção de Mme. de Warens, de quem se tornara amante e protegido. Entre 1740 e 1741, Rousseau trabalha como professor particular – preceptor – de dois meninos, filhos do Senhor Jean Bonnot de Mably, de Lyon. Na ocasião, escreve um primeiro texto onde explicita seus preceitos pedagógicos: "Projeto para Educação do Sr. de Sainte-Marie". Ele criticava naquele escrito os métodos rígidos utilizados para educar as crianças, dando recomendações e traçando sugestões pedagógicas.

Em 1742, Rousseau segue para Paris, onde passará a viver. Ele pretendia ser reconhecido por seus conhecimentos musicais. Redige um "Projeto de Notação Musical". Em 1743 publica

CRONOLOGIA

1694
Nascimento de Voltaire.

1712
Em Genebra, em 28 de junho, nasce Jean-Jacques Rousseau. Em 7 de julho, morre sua mãe.

1713
Nascimento de Diderot.

1715
Morre Luís XIV.

sua Dissertação sobre Música Moderna. Nessa mesma ocasião, torna-se amigo de Diderot – um dos principais expoentes do movimento enciclopedista francês da segunda metade do século XVIII. Em 1745, passa a viver com Thérèse Levasseur – uma empregada doméstica por quem se apaixona. Embora essa relação tenha durado toda a vida do filósofo, ele custa a assumir o romance; e se casará com ela apenas em 1768, após 23 anos de convivência. Com Thérèse ele terá cinco filhos; todos eles deixados na roda dos expostos de um orfanato de crianças abandonadas. Em 1748, Rousseau conhece Mme. d'Epinay e passa a frequentar o círculo dos intelectuais franceses. Logo a seguir torna-se um dos colaboradores da Enciclopédia ou Dicionário Raciocinado das Ciências, das Artes e dos Ofícios – em um primeiro momento convidado a redigir verbetes sobre música. No ano seguinte, 1749, Diderot é preso por ter manifestado ideias consideradas heréticas em alguns de seus trabalhos, notadamente na Carta sobre os Cegos. Rousseau conta que, na época, ao caminhar para visitar seu amigo na prisão, parou para ler jornal. Foi quando se inteirou do tema de um concurso lançado pela Academia de Dijon. A questão colocada para pautar os ensaios competidores era: "O restabelecimento das ciências e das artes contribuiu para aprimorar os costumes?". Rousseau conta que, em seguida, adormeceu e, ao acordar, viu-se tomado por uma súbita inspiração. Na visita a Diderot, conta ao amigo a ideia que tivera; e Diderot, na ocasião, o teria incentivado a inscrever-se no concurso. Rousseau segue esse conselho e é premiado pela Academia.

1717
O relojoeiro Isaac Rousseau muda-se da casa onde vivia com seu filho Jean-Jacques. Por problemas financeiros, pai e filho passam a viver em um bairro mais modesto. Nesse ano, nasce D'Alembert.

1722
O pai de Rousseau, por causa de uma briga, deixa Genebra. O menino fica sob a tutela de um tio que o envia para estudar com o Ministro Lambercier, pastor em Bassey.

1723-1774
Reinado de Luís XV.

Em 1750, essa história desembocou na publicação do texto que tornou célebre seu autor e que hoje é conhecido como seu Primeiro Discurso: Discurso sobre as Ciências e as Artes. Vivendo em um período em que se exaltavam, de modo entusiástico, os progressos da civilização, Rousseau segue na contramão, dizendo que o avanço das ciências e das técnicas não contribuiu – ao contrário do que se acreditava à época – para o aprimoramento da humanidade. Para o filósofo, os povos foram policiados em sua liberdade natural e passaram a viver com uma aparência enganosa de virtude.

Rousseau destaca que a espontaneidade e as disposições naturais do coração humano teriam sido, nesse movimento, substituídas por uma arte da representação de si para os outros. Essa nova civilidade – arte de agradar os outros – tinha como meta padronizar comportamentos e homogeneizar costumes. O gênero humano viveria, portanto, em uma "enganosa uniformidade", já que todos integrariam um mesmo molde. Os homens se teriam transformado em rebanho, todos fazendo as mesmas coisas e fingindo ser o que os outros desejariam. Ao seguir o decoro social e a polidez, as pessoas comporiam uma sociedade corrupta e corruptora, sem olhar para si mesmas. O pretenso refinamento dos costumes seria traduzido nos inúmeros vícios coletivos e na perda da simplicidade natural. O movimento civilizador foi – diz Rousseau – conduzido pela faculdade que o ser humano possui para se aperfeiçoar, para produzir conhecimento, para transformar o ambiente natural. Essa sociedade civilizada, no entanto, valorizará o luxo, a ostentação, a ganância e a opressão. No que diz

1724
Rousseau volta para Genebra, onde trabalhará como aprendiz de gravador. Nesse mesmo ano, nascia Immanuel Kant.

1726
O pai de Rousseau casa-se novamente.

1728
Rousseau sai de Genebra e vai para Turim, onde renuncia à sua fé protestante e converte-se ao catolicismo. Dizem que se tratava de uma decisão prática, já que os protestantes, na época, tinham as oportunidades muito limitadas em virtude do poder da Igreja Católica sobre os Estados.

respeito às práticas da educação de seu tempo, Rousseau também é mordaz. A propósito da valorização, pelos colégios, do ensino de latim, Rousseau diz que as crianças aprendem um idioma que não existe em lugar nenhum. O ensino de seu tempo não abarcaria, além de tudo, os valores. A religião ensinada reduzia-se a um conjunto de preceitos dogmáticos que visava apenas a fazer com que as crianças obedecessem aos adultos por temor a Deus. Rousseau pergunta já ali o que se deveria, então, ensinar às novas gerações: "que aprendam aquilo que deverão fazer quando homens e não o que devem esquecer".

Em 1751 é publicado o primeiro volume da Enciclopédia ou Dicionário Raciocinado das Ciências, das Artes e dos Ofícios. Organizada por Diderot e D'Alembert, a Enciclopédia era um empreendimento ousado. Pretendia compendiar, em vários volumes sucessivamente publicados, o conjunto de saber acumulado: trazendo à luz os progressos das ciências e das artes nos mais diferentes domínios do conhecimento sobre os assuntos naturais e do conhecimento sobre os assuntos humanos. Tratava-se de um projeto de divulgação do saber, com o propósito de que qualquer pessoa, lendo seus verbetes, tivesse oportunidade de aprender sobre qualquer asssunto. Além disso, tratava-se de uma tentativa de classificar o conhecimento produzido, de dividir os campos do conhecimento humano. A iniciativa de Diderot e D'Alembert agregou um conjunto de 250 colaboradores, provenientes dos mais diferentes países europeus. A Enciclopédia é, muito provavelmente, o maior dos emblemas da filosofia iluminista.

1730
Rousseau, com saúde frágil, sofre um esgotamento físico, provocado provavelmente por uma crônica infecção no sistema urinário, intratável naquela época.

1732-1737
Foi professor de música. Tornara-se amante de Mme.de Warens, uma jovem senhora católica, que o havia convencido a converter-se ao catolicismo. Ela vivia em Savoia e foi, durante muitos anos, protetora do jovem Jean-Jacques.

1740-1741
Rousseau trabalha como preceptor dos dois filhos de Monsieur de Mably, em Lyon. Nessa ocasião, exporá suas primeiras ideias pedagógicas, em texto dirigido ao pai das crianças, sob o título "Projeto para Educação do Sr. de Sainte-Marie". Nessa época, Rousseau conhece Condillac.

A DESIGUALDADE É UM ARTIFÍCIO

Ocorre em 1755 a publicação do conhecido Segundo Discurso de Rousseau, também submetido anteriormente a concurso da Academia de Dijon. Daquela vez, o desafio da Academia consistia na seguinte indagação: "Qual é a origem da desigualdade entre os homens? Ela é autorizada pela lei natural?". Embora não tenha tido, na ocasião, a mesma receptividade que o texto anterior (e apesar de o autor não ter, nesse caso, ganhado o prêmio da Academia), o próprio Rousseau sublinha que esse ensaio – intitulado Discurso sobre a Origem e os Fundamentos da Desigualdade entre os Homens – foi um dos mais importantes de sua extensa obra.

Rousseau, no princípio de seu Segundo Discurso, diferencia dois tipos de desigualdades: uma delas é natural e está, portanto, na essência das coisas. A outra – a desigualdade política – é um artifício, construído pela sociedade, "autorizada pelo consentimento dos homens", e que "consiste nos vários privilégios que gozam alguns em prejuízo dos outros, como serem mais ricos, mais poderosos e homenageados do que estes, ou ainda por fazerem-se obedecer por eles". Rousseau procura, nesse texto, identificar as raízes da condição humana. Para tanto, ele propõe-se a identificar – de modo dedutivo e sem qualquer compromisso com a verdade histórica – o trajeto que os homens teriam percorrido desde que saíram do estado de natureza e entraram no estado civil. Rousseau considera que, embora muito se dissesse sobre o homem natural, as pessoas transportavam "para o

1742
Rousseau passa a viver em Paris. Escreve um "Projeto de Notação Musical".

1743
Rousseau publica sua Dissertação sobre Música Moderna, tornando-se, na ocasião, amigo de Diderot. É empregado como secretário da embaixada de Veneza.

1745
Rousseau inicia duradouro relacionamento amoroso com Thérèse Levasseur, lavadeira, com quem terá cinco filhos, todos abandonados na roda dos expostos.

estado de natureza ideias que tinham adquirido em sociedade; falavam do homem selvagem e descreviam o homem civil".

Como teria sido – para Rousseau – o homem do estado de natureza? De acordo com o Segundo Discurso, ele é forte; é independente; e vive em liberdade. É também disperso, sem vínculos sociais. Mas o atributo mais significativo que caracterizaria esse homem natural está no fato de ele não ser determinado por nenhum instinto – ao contrário dos animais. O homem é, para Rousseau, o único animal, portanto, capaz de se desviar da regra prescrita; capaz de dominar a si mesmo; capaz de dizer não. Isso o qualificaria como agente livre – e, no estado de natureza, ele usufruía dessa liberdade original. Além da liberdade, o homem tem também naturalmente a faculdade de se aperfeiçoar; aquilo que o século XVIII reputava ser a perfectibilidade. O homem de natureza tem, ainda, dois outros dons: o amor de si – que Rousseau define como uma preferência que cada um tem por si mesmo; e a piedade – "repugnância inata de ver sobre seu semelhante". Liberdade, perfectibilidade, amor de si e piedade seriam, na perspectiva rousseauniana, os únicos atributos do homem no estado de natureza.

Em um segundo momento, após muitos anos de convivência naquele primitivo estado natural, os homens passaram a viver uma segunda etapa. Outros sentimentos começam a aparecer. O desenvolvimento do amor de si faz com que o homem se aproxime mais de uns do que de outros. O amor de um pelo outro é identificado como um desdobramento dessa preferência advinda

1748
Rousseau conhece Mme. d'Epinay e começa a frequentar o ambiente do grupo que integrará a Enciclopédia, para a qual será convidado a escrever, especialmente artigos sobre música.

1749-1750
Redação e publicação do Primeiro Discurso de Rousseau: Discurso sobre as Ciências e as Artes, premiado no concurso da Academia de Dijon. Nele Rousseau fez severa crítica ao que supunha ser os efeitos funestos do progresso das ciências e da civilização para a conduta humana.

da aproximação: "à força de se verem não podem mais deixar de novamente se ver". Ao procurar chamar a atenção dos outros, o amor de si será ramificado na ideia de amor-próprio. O homem deseja que reparem nele. Procura a estima pública. Surgem aí, então, a vaidade, o desprezo, o orgulho, a vergonha e a inveja. Já se saíra de um estado de felicidade natural. Vivia-se agora – como dissera Hobbes – uma guerra de todos contra todos.

Como arremate do processo acima descrito, um "funesto acaso" teria produzido a sociedade civil. O Segundo Discurso expõe talvez a tese mais controversa de Rousseau; aquela que mais incomodou os setores privilegiados da sociedade de seu tempo. A hipótese era a seguinte: não vivendo mais em harmonia, os homens daquela segunda etapa do estado de natureza competiriam pelos melhores frutos da terra. Até que um dia, alguém resolveu cercar um terreno e dizer "isto é meu, e encontrou pessoas suficientemente simples para acreditá-lo". Naquele momento – conclui Rousseau – havia terminado o estado de natureza. Por aquele "funesto acaso", a instauração da propriedade fundava a sociedade civil. O homem jamais regressaria ao estado natural.

Esmagando-se uns contra os outros, os homens criam, então, o primeiro pacto, proposto pelos proprietários – sobretudo como estratégia de proteção da ordem. Foram instituídos regulamentos para organização da vida coletiva, regulamentos aos quais, em princípio, todos deveriam respeitar e obedecer, dado que, por suposto, a lei deverá proteger os membros da comunidade contra o

1751
Publicação do primeiro volume da Enciclopédia das Ciências, das Artes e dos Ofícios, organizada por Diderot e D'Alembert.

1754
Rousseau converte-se novamente ao calvinismo e volta a ser cidadão de Genebra.

1755
Publicação do Segundo Discurso: Discurso sobre a Origem e os Fundamentos da Desigualdade entre os Homens. Rousseau escreve na Enciclopédia o verbete intitulado Economia Moral e Política. Nesse mesmo ano, acontece o famoso terremoto de Lisboa; e Voltaire escreve a Carta sobre o Terremoto de Lisboa, argumentando que o terremoto demonstrava que Deus não existia.

risco sempre presente da eterna discórdia, fruto das paixões e das desavenças humanas. A institucionalização política estava dada; a convenção originária fora firmada: "todos correram ao encontro de suas cadeias, julgando assegurar sua liberdade".

O Discurso sobre a Origem e os Fundamentos da Desigualdade entre os Homens não foi tão bem recebido quanto aquele que lhe antecedeu. Rousseau que, na época, trocava cartas com Voltaire, contrai – por causa das críticas que este último fizera a seus escritos – aquela que seria sua maior inimizade. Naquele mesmo ano de 1755 aconteceu o famoso terremoto de Lisboa, que impactaria muito os Iluministas – já que a morte de milhares de pessoas demonstrava os limites dos progressos da ciência e das técnicas. A natureza se rebelava contra o homem tão orgulhoso de sua faculdade racional. Naquele mesmo ano de 1755, Rousseau publicaria extenso e importante verbete na Enciclopédia, com o título Economia Social e Política.

Em 1756, Rousseau irá morar no Ermitage, uma propriedade rural em Montmorency, que lhe fora cedida por sua amiga Mme. d'Epinay. Nessa época, o filósofo começa a apresentar os primeiros sintomas do sentimento de perseguição que o acompanhará até o fim de sua vida. No ano seguinte, 1757, dois fatos marcam a biografia de Rousseau: ele rompe a amizade com Diderot; e D'Alembert escreve o verbete Genebra publicado no volume VII da Enciclopédia. Esse artigo descrevera a cidade calvinista como conservadora e sem vida cultural. Sugere, como contrapartida, a criação de um teatro na cidade de Genebra, alegando que isso

1756
Rousseau muda-se para uma propriedade rural de Mme. d'Epinay, localizada fora de Paris. Rousseau escreve a Carta a Voltaire sobre a Providência.

1758
Rousseau redige a Carta a D'Alembert, onde criticava os espetáculos.

1759
A Enciclopédia é condenada pelo papa Clemente XIII.

tornaria mais sofisticados os cidadãos da cidade. Rousseau detesta o verbete sobre Genebra. Escreve, então, uma resposta – posteriormente publicada com o título Carta a D'Alembert –, onde efetuou crítica do teatro. Os espetáculos – sublinha Rousseau – seriam apenas um quadro das incontidas paixões humanas, provocando relação de identidade entre atores e público. Ao pretender agradar, ao conferir prioridade ao divertimento, e ao contagiar a plateia, ofereceria péssimo exemplo formativo. Rousseau aproxima a ideia de representação no teatro daquilo que supunha ser a máscara da hipocrisia e da opacidade de uma sociedade corrupta, que prezava apenas a aparência de virtude. No teatro como na vida civil, a verdade era encoberta. Como contraponto ao lugar público ocupado pelo teatro, Rousseau defendia o que supunha ser a dimensão pedagógica das festas cívicas.

UMA NOVA SOCIEDADE: O CONTRATO SOCIAL

Em 1762, são publicados simultaneamente o Emílio ou Da Educação e O Contrato Social. Para compreender o pensamento rousseauniano, será necessário perquirir o encadeamento discursivo que norteia a lógica de cada um desses relatos.

O Contrato Social – que consagraria a posteridade imediata de Rousseau, especialmente tomado como referência dos revolucionários franceses – pretendia obter uma saída civil para os impasses pendentes da narrativa do Discurso sobre a Desigualdade. No Segundo Discurso, Rousseau apresentara um inventário lógico das razões que conduziram à perda do estado

1762
Publicação do Emílio ou Da Educação e do Contrato Social. Rousseau foge para a Suíça, porque as duas obras haviam sido condenadas em Paris, tanto pelo Parlamento quanto pela Sorbonne. Mas os dois livros seriam também queimados em Genebra. No mesmo ano, Christophe de Beaumont – arcebispo de Paris – publica decreto contra o Livro IV do Emílio.

1763
Escreve a Carta a Christophe de Beaumont, arcebispo de Paris. Renuncia ao título de cidadão de Genebra. No mesmo ano, Voltaire lançava seu Tratado sobre a Tolerância.

1764
Redação das Cartas Escritas da Montanha e do Projeto de Constituição para a Córsega.

de natureza. No texto do Contrato, o autor procurará oferecer sinais alternativos para trilhas de possíveis futuros. Diz, nesse sentido, que a liberdade e a bondade natural do estado de natureza estavam irremediavelmente perdidas. Era impossível voltar atrás. Tratava-se, pois, de buscar um instrumento na vida pública capaz de estabelecer critérios sociais para organização de um modo de viver coletivo calcado sob o signo da virtude. Virtude aqui é atributo da sociedade civil, na rota civilizatória.

AS LEIS COMO PODEM SER

O Contrato Social pode ser compreendido como arquitetura política: a projeção de um pacto alternativo, que, diferentemente do acordo firmado para assegurar a propriedade, terá por finalidade tomar "os homens tais como são e as leis tais como podem ser". Ou seja, deverá ser mobilizado o direito para a obtenção da justiça – não mais uma justiça que atenda apenas a minorias privilegiadas, mas a justiça do ponto de vista de todos. Esse novo pacto – o Contrato Social – pretenderá fundar uma forma nova de governo mediante a qual todos os homens são compreendidos como possuidores da soberania. Rousseau aqui desloca, portanto, o significado do próprio termo soberania. Soberano não é mais o governante. Soberano passa a significar "povo". De certo modo, advoga-se com isso o estado de direito. A legitimidade do novo pacto social estaria exatamente no fato de não recorrer ao ideário do contratualismo da época, segundo o qual o poder é necessariamente concedido, mediante a submissão de

1768
Casa-se com Thérèse. Nessa época, Rousseau já se sentia perseguido por uma conspiração que envolveria muitos de seus contemporâneos amigos e conhecidos.

1770
Volta para Paris e conclui suas memórias, intituladas Confissões.

1778
Morre em 2 de julho, em Ermenonville

todos a um ou a alguns poucos homens. O Contrato Social é apresentado por Rousseau como uma forma de associação que protege todas as pessoas e "pela qual cada um, unindo-se a todos, só obedece, contudo, a si mesmo, permanecendo assim tão livre quanto antes".

Se a liberdade natural havia sido perdida, seria possível, como alternativa, obter uma liberdade fundada na convenção. As cláusulas principais dessa convenção seriam: "a alienação total de cada associado, com todos os seus direitos, à comunidade toda, porque, em primeiro lugar, cada um dando-se completamente, a condição é igual para todos, e, sendo a condição igual para todos, ninguém se interessa por torná-la onerosa para os demais". O Contrato supõe que todos se beneficiariam do acordo já que "cada um, dando-se a todos, não se dá a ninguém". A proposição de firmamento de um contrato legítimo para promover a concórdia pública tinha por suposto uma dada compreensão de bem comum.

Para Rousseau, o primeiro pacto fizera com que os homens deixassem o estado de natureza, e isso ocorreu sob patamares ilegítimos, embora houvesse sempre uma margem mediante a qual fosse possível pensar e projetar uma forma legítima de associação. Esta seria traduzida pela entrada em vigor do novo pacto, cuja meta será a de refundar o tecido da sociedade, por meio do qual "cada um de nós põe em comum sua pessoa e toda a sua autoridade sob o supremo comando da vontade geral". Os fundamentos da democracia moderna estavam ali desenhados. Um ato de soberania requererá, portanto, uma convenção do corpo social com cada um de seus membros – "convenção legítima por ter como base o contrato social, equitativa por ser comum a todos, útil por não poder ter outro objetivo que não o bem geral e sólida por ter como garantia a força pública e o poder supremo". Esse tipo de convenção faria os homens obedecerem não a um terceiro, mas a si próprios, à sua própria vontade. Cada um, comprometendo-se com todos, não obedecerá a mais ninguém além de si mesmo. Na sociedade organizada pelo crivo da vontade geral – definida como vontade de todos, subtraídos os interesses particulares – o pacto civil ganhará, pois, tonalidade moral. Se o acordo inclui todos, cada um sabe-se senhor de si.

Essa é a liberdade possível no território civil. A soberania – bem que reside no povo – é apresentada por Rousseau como inalienável, indivisível, intransferível. A vontade geral assegura, pela escolha, o acerto das vontades, produzindo consensos tácitos que legitimam a vida democrática.

UM NOVO HOMEM: EMÍLIO

Alguns comentadores caracterizam o significado da obra Emílio ou Da Educação como um recurso conceitual do pensamento rousseauniano para formar o homem virtuoso no seio de uma sociedade corrompida. A educação do menino Emílio pretendia ser um exercício de formação do homem livre. Essa liberdade humana era uma disposição a ser formada, com o fito de estruturar um ser virtuoso – aquele dirigido por uma vontade reta, que sabe escolher por si mesmo o bem agir. Tal capacidade de sair de si e escolher o bem era considerada por Rousseau como a mais distintiva dentre as habilidades humanas. Rousseau, para tanto, inventa um relato de vida. O protagonista dessa vida não é tido como um filho; tampouco como um aluno. O menino Emílio é uma construção; uma categoria operatória da pedagogia rousseaniana. Cabe lembrar que o estado de natureza era também apenas uma hipótese – sabidamente não histórica – com que operou o pensamento político de Rousseau. Emílio – o menino fictício do relato rousseauniano – age no relato como ideal regulador que possibilita a Rousseau esmiuçar o que ele acreditava ser a essência da criança em tudo aquilo que fosse efetivamente natural em seu desenvolvimento.

Rousseau sublinha acerca do tema: "não se conhece a infância – com as falsas ideias que dela temos, quanto mais longe vamos, mais nos extraviamos". O Emílio é um tratado que – mais do que a educação – pretendia fazer ver a infância. Logo no início da obra, Rousseau destaca a diferença entre a educação de seu fictício discípulo e a criação das crianças de seu tempo. Os professores da época – diz ele – tomam o aluno como se este representasse um fardo a ser carregado. O aluno, por sua vez, costuma ver o professor como a razão de seus flagelos. A relação entre o menino Emílio e seu tutor será completamente diferente: "viver é o ofício que lhe quero ensinar. Saindo de minhas mãos, ele não será, concordo, nem magistrado, nem soldado, nem padre; será primeiramente um homem".

EDUCAÇÃO E FELICIDADE

Crítico – desde seus primeiros escritos – dos padrões educativos vigentes na sociedade europeia do século XVIII, Rousseau recomenda o que supunha ser a educação natural. Desde muito cedo – diz o tutor do Emílio – as crianças são constrangidas em seu corpo; e tiram-lhe a liberdade que a natureza lhes deu. Por exemplo: "haverá coisa mais tola do que o cuidado que tomamos para ensinar-lhe a andar, como se tivéssemos visto alguém que, por negligência de sua ama, não soubesse andar quando grande?". Assim como as crianças não devem ter travados seus movimento naturais, a educação ministrada deverá cuidar de promover a felicidade; o que não ocorria nos colégios de então. Neles os meninos eram "condenados a trabalhos contínuos, como forçados, sem ter certeza de que tantos cuidados lhes serão úteis algum dia. A idade de alegria passa em meio a choros, aos castigos, às ameaças, à escravidão". Além disso, a criança é sempre remetida para um suposto futuro promissor, em nome do qual o presente era drasticamente sacrificado. E, no entanto, alerta o autor: "a natureza quer que as crianças sejam crianças antes de ser homens. Se quisermos perturbar essa ordem, produziremos frutos precoces, que não terão maturação nem sabor e não tardarão a corromper-se; teremos jovens doutores e crianças velhas".

O alerta inscrito no Emílio é o de que as crianças deverão ser tratadas conforme a idade. A infância e a juventude são repartidas em etapas, cujas características precisam ser respeitadas. O menino Emílio e seu tutor passam juntos 25 anos da vida – desde o nascimento até a conclusão do primeiro quarto de século. A tese que alguns advogam é a de que o Emílio, ao nascer, seria a expressão do homem no estado de natureza. Enquanto tal, não teria virtude. Possuiria apenas o amor de si, a piedade, a liberdade e a capacidade de se aperfeiçoar. Esse aprimoramento intrínseco à faculdade natural de perfectibilidade conduz, pouco a pouco, ao processo que culminará na escultura do homem civil. O Emílio já formado é por tal hipótese interpretativa – o sujeito virtuoso capaz de se tornar o cidadão ou o próprio legislador da sociedade do contrato. Em meio ao mundo corrupto, será talvez aquele que contribui para fundar o novo pacto.

Rousseau divide o Emílio em cinco grandes unidades. No Livro I trabalha a educação da criança do nascimento até os 2 anos. Ali apresenta a situação do menino Emílio, que será educado desde o dia em que nasceu. Naquela época o termo infância compreendia apenas as crianças pequenas. Uma das principais marcas do pensamento rousseauniano, responsável por boa parte do imediato impacto que a obra causou, advém do fato de ele haver prolongado a acepção de infância – esticou a condição de criança. O Livro II compreende a etapa da formação da puerilidade, que duraria até os 12 anos. Ali Rousseau postula que o menino Emílio não seja aproximado da cultura letrada; exatamente como um recurso para ele viver sua infância por mais tempo. A principal tese de Rousseau é a de que, até os 12 anos, a criança terá parâmetros de apreensão de mundo diferentes daqueles presentes nos adultos. Até os 12 anos, ela será conduzida por aquilo que o filósofo acredita ser uma razão sensitiva. Compreender a lógica dessa racionalidade sensível constitui a tarefa primeira do educador. No Livro III do Emílio, são desenvolvidos preceitos e práticas de educação indicados para a única fase da vida onde, segundo Rousseau, as forças são maiores do que os desejos – dos 12 aos 15 anos. No Livro IV, são abordadas questões relativas à formação moral e sexual do Emílio. O jovem agora – entre os 15 e 20 anos – possui os instrumentos necessários para constituir a racionalidade do adulto. Com o propósito de formar razão e sensibilidade, mente e coração, moral e conduta humana, Rousseau constrói a narrativa da "Profissão de Fé do Vigário Savoiano", motivo de críticas impiedosas de seus compatriotas. Finalmente, entre os 20 e os 25 anos, Emílio será preparado pelo preceptor para o casamento. Na rota da educação do Emílio, Rousseau estabelece fértil diálogo entre política e pedagogia. Ao formar o homem moral, constituía também o homem civil – o cidadão. Com isso, a racionalidade tornava-se instrumento a serviço do homem – e não uma estratégia de ação contra o semelhante. Em todas as etapas da formação do Emílio, o filósofo recomenda: "ensinai a vosso aluno a amar todos os homens, mesmo os que o menosprezam; fazei com que não se situe em nenhuma classe, mas que se reconheça em todas; diante dele, falai do gênero humano com ternura, até mesmo com piedade, mas nunca com desprezo. Homem, não desonres o homem".

OS ÚLTIMOS ANOS

Rousseau sofreu inúmeras críticas imediatamente após a publicação de seus dois trabalhos mais conhecidos. Tanto o O Contrato Social quanto o Emílio – publicados respectivamente em abril e maio de 1762 – foram proscritos, condenados e até queimados, tanto em Paris como em Genebra, quer pelos poderes temporais quer pelas Igrejas católica e protestante. Em virtude disso, o isolamento de Rousseau tornara-se, ao longo de seu percurso, praticamente irreversível. Cada vez mais, ele se afasta do círculo de seus amigos. Ainda no ano de 1762, Rousseau escreve sua Carta a Christophe de Beaumont – uma réplica ao arcebispo de Paris, que se opusera às teses da religião natural defendidas no Livro IV do Emílio. No ano seguinte, Rousseau renuncia à cidadania genebrina, decepcionado que estava com a má recepção de sua obra naquela cidade. Em 1764 trabalhará em seu "Projeto de Constituição para a Córsega", texto que lhe havia sido encomendado e que permaneceria inacabado. Naquele mesmo ano, um texto anônimo, com o título "O Sentimento dos Cidadãos", é atribuído a Voltaire. Nele Rousseau era acusado severamente por haver abandonado seus filhos. Em 1765 Rousseau irá para a Inglaterra. Em 1767, regressando à França, casa-se com Thérèse Levasseur. Em 1771, também por encomenda, redige as Considerações sobre o Governo da Polônia. Os anos seguintes serão dedicados à redação das Confissões – sua autobiografia. A partir de 1776 trabalhará em sua última obra, publicada somente após sua morte: Devaneios de um Caminhante Solitário. Rousseau morre em 2 de julho de 1778. A partir de 1789, torna-se um dos principais ícones evocados pelos revolucionários franceses, que pretendiam ter fundado a sociedade do "contrato social". Em 1794 o corpo de Jean-Jacques Rousseau será transferido para o Panteão em Paris.

Refletir sobre o pensamento rousseauniano é, sob qualquer ponto de vista, uma tarefa tão clássica quanto atual. Em pedagogia como em política, a leitura de Rousseau é obrigatória. Como já assinalou alguém, podemos ser a favor ou ser contra suas ideias. Só não podemos passar sem sua referência.

EXPOENTE ILUMINISTA

por Carlota Boto

Um dos grandes enciclopedistas, Rousseau e sua obra marcaram vários campos do conhecimento

Rousseau integrou a grande aventura do pensamento iluminista – a Enciclopédia. Dentre seus principais contemporâneos, destacam-se Diderot, D'Alembert e Voltaire. Os dois primeiros foram os organizadores da Enciclopédia. Diderot era um defensor do ensino público e elabora um plano para a universidade. Foi interlocutor privilegiado de Rousseau, especialmente quando este escrevia o seu Primeiro Discurso. D'Alembert redige na Enciclopédia o verbete Colégio, o qual criticava severamente os conteúdos e os métodos dos colégios jesuíticos, predominantes no cenário francês da época. Voltaire era um pouco mais velho do que os três, mas foi contemporâneo e membro do grupo. Crítico dos costumes, seus escritos cáusticos pregavam a tolerância. Tratava-se de um grupo-geração que impactou a história do pensamento social, político e pedagógico. No quadro abaixo, aparecerão quatro autores importantes que marcaram a obra de Rousseau; e outros quatro autores que, posteriores, foram impactados pelo seu pensamento.

Platão
(428 a.C.-347 a.C.)
Filósofo da Grécia clássica, foi discípulo de Crátilo e de Sócrates. Os principais relatos sobre a vida de Sócrates (que nada escreveu) constam dos escritos de Platão. Sua obra é fundamental para as teorias pedagógicas posteriores.

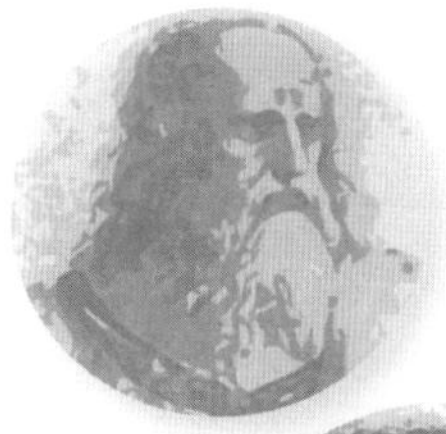

Aristóteles
(384 a.C-322 a.C)
Discípulo de Platão, escreveu sobre lógica, metafísica, política, poética e ética. Seu pensamento político e sua reflexão sobre a ética são referências imprescindíveis para o pensamento moderno.

Montaigne
(1533-1592)
Humanista, escreve sua obra em francês na forma de Ensaios, estilo literário que ele próprio inaugurou. Alguns deles, discorrendo sobre educação, criticam os padrões impositivos da pedagogia de seu tempo.

← Influenciou Rousseau

→ Influenciados por Rousseau

Kant (1724-1804)
Filósofo do século XVIII, Kant destaca-se por suas teses originais na epistemologia, na ética, na lógica e na estética. Acreditava na atitude crítica, mediante a qual a razão – no âmbito de seus limites – torna-se autônoma.

Pestalozzi (1746-1827)
Funda em Zurique um instituto de educação para crianças pobres, que deveria preparar os alunos para o estudo e para o trabalho. Destaca-se por seu romance pedagógico Leonardo e Gertrudes.

Fröebel (1782-1852)
O principal trabalho pedagógico do alemão Fröebel, intitulado A Educação do Homem, considera que a educação deverá adaptar-se às etapas de desenvolvimento da criança. É conhecido, na história da Pedagogia, como fundador da ideia de Jardim de Infância.

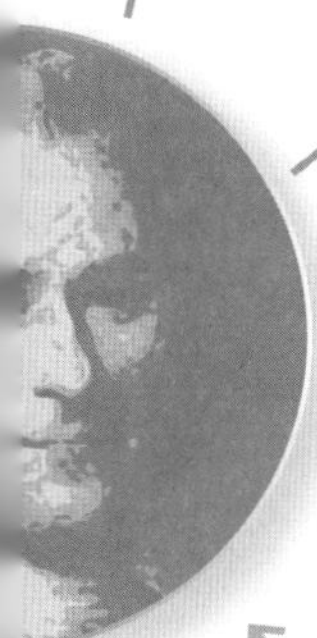

Janusz Korczak (1878-1942)
Judeu polonês, fundou orfanato de crianças pobres. Seus principais livros têm por tema a reflexão sobre o conceito de infância: Como Amar uma Criança e Quando Eu Voltar a Ser Criança. Foi morto junto com suas duzentas crianças em campo de concentração nazista.

Locke (1632-1704)
Crítico do inatismo, Locke é um dos principais expoentes da corrente empirista do século XVII. Valorizava a intuição, a sensação e a experiência. Sua obra política é referência do contratualismo.

Principais teses

O NASCIMENTO DO IDEÁRIO POLÍTICO CONTEMPORÂNEO

por Maria Fátima Simões Francisco

O único modo de ser livre para cada homem é viver numa sociedade em que a autoridade máxima não está com o governante, mas com a própria comunidade

Para sermos apresentados a Rousseau, precisamos recordar alguns fatos significativos ligados a seu nome. O mais importante deles talvez seja a influência que exerceu sobre a Revolução Francesa. Os líderes políticos desse movimento tinham o Contrato Social de Rousseau como sua bíblia, seu texto de cabeceira, e tentaram inspirar diretamente nele suas ações. O filósofo, junto com Voltaire, foram os patronos da revolução e a grande inspiração ideológica daqueles que, no final do século, pretendiam pôr fim à estrutura de poder absolutista da França do Antigo Regime. Os ideais revolucionários de liberdade e igualdade, que dirigiam suas ações, por sua vez, expandiram suas fronteiras para além dos limites franceses e chegaram a lugares bastante distantes. Foi assim, por exemplo, que a nossa própria Inconfidência Mineira recebeu forte influência da Revolução Francesa e de Rousseau.

Recordar o fato de que o autor foi a influência maior desse importante evento político da modernidade e até declarado "herói nacional" pela Assembleia Nacional, órgão máximo da revolução, poderá levar alguns a concluir: "trata-se, portanto, de um pensador burguês". Para evitar essa conclusão rápida, repetida muitas vezes nos manuais de ciências sociais, faz-se necessário alargar nossas concepções acerca desse movimento político e, ultrapassando talvez as lições recebidas, lembrar que ele não se reduz a um mero movimento de classe – da burguesia, no caso. Pois, no curso de sua duração, chegou a incluir um forte movimento popular nas ruas de Paris e despertar nos líderes políticos mais radicais anseios de mudanças sociais bem profundas. Com relação a Rousseau, em quem os revolucionários encontraram o ideário de que precisavam para justificar as transformações propostas, embora seja comum colocá-lo na fôrma de "pensador burguês", já que se prestou a ser usado ideologicamente por essa classe, na verdade, à medida que o conhecemos melhor, constatamos que ele se acomoda muito mal a esse molde. E mais: os revolucionários franceses, ao lerem Rousseau, procederam ao que se poderia perfeitamente chamar de uma "apropriação". Ou seja, à revelia do que queria dizer, de fato, o autor em seus textos – muitas vezes, bastante difíceis e cifrados, como é, sobretudo, o caso do Contrato Social, o mais usado pelos revolucionários – eles o interpretavam como podiam e, especialmente, conforme interessava a seus propósitos. Fabricou-se, dessa maneira, acerca de Rousseau uma figura pública mítica e irreal durante a revolução de 1789, que efetivamente nem sempre bate com a que se encontra em seus textos. É essa observação preliminar que precisamos fazer antes de dizer qualquer coisa sobre ele. Tendo se tornado uma figura pública central após sua morte, sua obra foi muitas vezes compreendida à luz dos significados atribuídos a essa figura e não à luz das ideias que efetivamente o autor defendia. Para conhecer o verdadeiro Rousseau o mais útil é ir a seus textos, e deixá-lo falar ele próprio por sua boca. É justamente isso que pretendemos estimular o leitor a fazer nestas linhas: em vez de buscar, para conhecer o filósofo, apenas manuais – como se fez muito tempo no Brasil nos cursos de formação de professores – eliminar os mediadores e deixar-se conduzir pela própria letra do autor. Nesse sentido, estaríamos incorrendo numa reparação, pois, como já dissemos, Rousseau, embora muito célebre, não havendo quem não tenha já ouvido falar nele, é de fato muito pouco lido e conhecido em suas próprias ideias.

Da leitura cuidadosa de seus textos, constatamos que seu pensamento político ultrapassa a mera discussão, feita pela burguesia revolucionária, em torno da ampliação de direitos políticos e da participação de uma nova classe no poder. Ele nos propõe toda uma visão inteiramente nova da ordem política e das relações políticas entre os homens. Não seria inapropriado dizer que representa, em termos de pensamento político, o nascimento da modernidade. Ou, para ser mais preciso, realiza o acabamento, que começa a ser tecido lá no Renascimento com autores como Maquiavel, das ideias políticas modernas. Constitui o ápice do "republicanismo". Desde o século XV, a história do pensamento político está ocupada com a discussão das bases que legitimariam a autoridade política do governante. Propunha-se desde o renascimento o monarca tinha direito a governar os súditos seja em razão de sua origem divina – de ter seu poder herdado de Deus –, seja em virtude de ser muito superior a seus súditos, tanto quanto o pastor em relação a seu rebanho ou o pai em relação a seus filhos. Ainda que a discussão nesses termos possa parecer hoje bastante estranha, era à época bastante arrojada, pois eram questionadas, postas em questão, as bases a partir das quais o monarca pretendia ter direito a governar. Punha-se em discussão e buscava-se encontrar, com base na razão, de onde vinha a legitimidade de um poder político. A contribuição de Rousseau a essa discussão foi decisiva, razão pela qual constituiu o acabamento do projeto republicano, da "república", isto é, do regime político que tem como fim o bem dos cidadãos. De fato, Rousseau vai alterar em muito os termos do problema colocado pelos pensadores anteriores. Não se trata, para ele, de discutir as bases do poder do rei e, sim, as únicas bases possíveis para se ter um poder político legítimo. Tais bases só podem ser a ideia de "povo", de "poder consentido", de "convenção", de "vontade geral". Ele deslocará o lugar tradicional do poder, o rei, o governante, para o "povo", o que era antes destituído de poder e governado. Somente o povo pode ser detentor de autoridade política, somente ele pode exercer o poder político. O governante, por sua vez, será nessa doutrina apenas mero funcionário da "vontade geral" do povo. Eis então que nos deparamos com o ideário político que encontramos hoje nas propagandas eleitorais e nos discursos dos políticos. E podemos perceber que somos na atualidade, pelas nossas ideias e nossas instituições políticas, inteiramente herdeiros e tributários do pensamento político de Rousseau.

Mas não foi apenas para a história do pensamento e das instituições políticas que esse autor deu uma contribuição decisiva. Ele teve ainda influência determinante em nossa história da pedagogia. Seu Emílio ou Da Educação constitui um marco na história das ideias, e mesmo das práticas, relacionadas à educação, à infância e à escola, tendo lançado as bases filosóficas de nossa moderna visão da educação. Sua abordagem das questões pedagógicas está na ordem do dia: é o que constatam os leitores atuais de seu Emílio. Além de autor seminal em matéria pedagógica, Rousseau foi também um autor de literatura, importante a ponto de marcar a história desse gênero discursivo. Com a publicação de Júlia ou a Nova Heloísa, obra literária que se tornou célebre e foi muito lida no século XVIII, propôs um novo rumo ao romance. Com seus Devaneios de um Caminhante Solitário lançou ainda as bases para o movimento estético do romantismo do século XIX.

O AMBIENTE CULTURAL DO ILUMINISMO

O XVIII francês foi o "Século das Luzes". Protagonizada por pensadores de diferentes matizes teóricos, essa revolução cultural denominada "Iluminismo" se desdobrou movida por uma ideia central: um profundo entusiasmo pelos poderes da razão humana, as chamadas "luzes". Tal entusiasmo advinha, por um lado, dos enormes progressos feitos pela humanidade nas ciências e nas artes desde o renascimento. Por outro lado, os homens do Iluminismo acreditavam que o saber – sua produção e difusão – era capaz de uma tarefa grandiosa: libertar a humanidade das suas correntes – o fanatismo, as superstições, o obscurantismo, os preconceitos e a ignorância – e, dessa forma, torná-la melhor e verdadeiramente feliz. Tão vivos e intensos eram o otimismo e a crença nos efeitos libertadores do saber e nos poderes da racionalidade humana que, a fim de promover grandes transformações e o aperfeiçoamento da humanidade, empreenderam o projeto da Enciclopédia: reunir numa só obra todo o saber estabelecido até então – as ciências, as artes e os ofícios. Essa tarefa monumental teve início em 1745 e tomou 25 anos de trabalho a seus editores – os filósofos Diderot e d'Alembert –, materializando-se em 17 volumes de textos e 11 de ilustrações. Denominava-se Enciclopédia ou Dicionário Raciocinado das Ciências, Artes e Ofícios. Diferentes filósofos colaboraram como redatores de verbetes, junto com engenheiros, artesãos, parlamentares, teólogos e outros. O próprio Rousseau escreveu verbetes sobre música e um texto intitulado "Da Economia Política". O fundamental a ressaltar nesse projeto da Enciclopédia são os princípios, de espírito iluminista, que o guiavam: a convicção de que o saber humano tudo pode e deve penetrar e revolver todas as matérias. Nada deve resistir-lhe, nenhuma área deve escapar à capacidade humana de compreensão racional e crítica. Nesse sentido, não se tratava apenas de reunir e difundir um saber qualquer, mas, sobretudo, de selecionar um que fosse crítico e capaz de combater os males da época, já mencionados: o fanatismo, as superstições, o obscurantismo, os preconceitos e a causa maior de todos eles, a ignorância. O objetivo dessa obra era, assim, o de trazer a instrução para seus leitores e, por conseguinte, formar nos homens opiniões críticas e as bases ideológicas necessárias para o encaminhamento do projeto de reforma geral das sociedades europeias. Reforma essa que, sendo abrangente, ia desde as relações esposo-esposa, mestre-aluno, pai-filho até as relações políticas entre governante-governados. Os assuntos preferidos de discussão dos iluministas e enciclopedistas era justamente os que tinham relação direta com as duas instituições mais poderosas da sociedade: a religião e a Igreja de um lado, e, de outro lado, as bases de legitimação da autoridade do governante e o regime absolutista de Luís XV e Luís XIV. Com esse espírito de questionamento dos poderes estabelecidos, os editores da Enciclopédia, como se poderia imaginar, padeceram seguidamente de perseguição, prisão e censura, tanto por parte das autoridades políticas quanto eclesiásticas.

Como se situa Rousseau nesse cenário da Ilustração? Pode ele ser descrito como um iluminista típico, como o seriam, por exemplo, Voltaire, Diderot, D'Alembert, Condorcet e Condillac? Na verdade, não. Para sermos fiéis a seu pensamento, devemos reconhecer a diferença entre ele e o ambiente intelectual que o cercava. Seu primeiro texto, o Discurso sobre as Ciências e as Artes, escrito para um concurso literário, já nos permite perceber onde reside o principal ponto de diferença. No ano de 1749, a Academia de Dijon propõe para seu concurso literário anual o seguinte tema de debate, ele mesmo impregnado do espírito iluminista: "o restabelecimento das ciências e das artes [a partir do Renascimento] terá contribuído para aprimorar os costumes?" Rousseau, ao contrário do que fariam os otimistas "homens de letras" do período e ao contrário do que esperavam os membros da Academia, escreve um texto – justamente o Discurso sobre as Ciências e as Artes – respondendo negativamente à questão proposta. E mais, com inegável força em sua argumentação. Para ele o grande impulso dado aos saberes humanos a partir do Renascimento, ao invés de ter aprimorado os costumes, teve efeito exatamente inverso: serviu para a corrupção daqueles. No texto o filósofo apresenta, em contraposição ao espírito do período, uma visão pessimista dos efeitos das ciências e das artes sobre os homens. Ao invés de o saber servir, diz ele, à utilidade e à promoção da humanidade, ao bem-estar do gênero humano, o progresso tem servido somente para nutrir a vaidade e o gosto pela distinção dos que o cultivam. Em lugar de aprimoramento moral e melhor cumprimento dos deveres na sociedade, o efeito do progresso dos saberes foram os vícios do orgulho e da rivalidade. As ciências e as artes, desafortunadamente, não cumpriram a missão a que estariam destinadas, no entender de Rousseau e mesmo dos iluministas: a de tornar os povos melhores e felizes. Apesar disso, continua-se a atribuir-lhes enormes progressos, visto que atêm-se unicamente aos próprios avanços científicos e artísticos. Mas, reage Rousseau: é preciso fazer o balanço, como um todo, dos diferentes aspectos da vida da sociedade e verificar se, de fato, esse progresso das ciências e artes trouxe mudanças auspiciosas para a humanidade. Ao fazer esse balanço – que é concluído na sua obra seguinte: Discurso sobre a Origem da Desigualdade entre os Homens – e constatar que os progressos das ciências e artes não trouxeram avanços para a vida da humanidade – que continua mergulhada em fanatismo, superstições, obscurantismo, preconceitos e ignorância – o filósofo passa então a investir contra a crença maior do Iluminismo: a de que os progressos da razão conduzem sempre ao aprimoramento da sociedade. Ao final do primeiro Discurso, o autor condensa sua crítica à indiferença dos homens de ciências e das artes em relação aos problemas dos povos, bem como à incapacidade deles de utilizá-las para dar solução a esses problemas: "enquanto o poder estiver sozinho de um lado e, de outro, sozinhas as luzes e a sabedoria, os sábios raramente pensarão grandes coisas, os príncipes raramente farão belas coisas e os povos continuarão a ser abjetos, corrompidos e infelizes". Nosso autor iniciará com esse primeiro Discurso a série de discordâncias que acumulará, ao longo da publicação de suas outras obras, com os filósofos iluministas, até o momento de rompimento com eles em 1758 com a publicação da Carta a D'Alembert sobre os Espetáculos em que se opõe frontalmente à proposta de D'Alembert de instalação de um teatro à francesa em Genebra, por ter grandes divergências em relação às consequências dessa instalação. Tendo o autor várias vezes visões distintas daquelas dos outros filósofos de sua época e não se privando de expô-las e defendê-las com forte argumentação, polêmicas infindáveis se estabelecerão entre Rousseau e eles. Suas ideias críticas e dissonantes estão também na origem das relações tensas entre o autor e as autoridades civis e eclesiásticas de seu tempo, tais como o Parlamento de Paris, as Igrejas Católica e Protestante, e o Conselho da cidade de Genebra, dos quais foi acusado e perseguido em diferentes situações.

UM FILÓSOFO DA POLÍTICA

Embora Rousseau tenha se dedicado a diferentes campos de conhecimento – literatura, música, teatro –, mais que tudo se entendia como um filósofo da política. A essência de sua filosofia política encontra-se desenvolvida num pequeno tratado intitulado Do Contrato Social, publicado em 1762 juntamente com o Emílio. Na verdade, o filósofo o tinha pensado como parte de uma obra mais ampla – denominada Instituições Políticas – que ambicionava escrever, mas cujo projeto não conseguiu levar adiante. O texto acabou por marcar de modo profundo a história política subsequente quando se tornou, no final do século XVIII, a "bíblia" dos líderes da Revolução Francesa. Estes o liam ao pé da letra e o utilizavam como um programa político de ação contra as instituições políticas do Antigo Regime. Entretanto, ao fazerem do texto o projeto, a ser imediatamente implantado, de uma nova sociedade política, eles contrariavam o sentido que Rousseau pretendia para sua obra. O subtítulo do Contrato, "Princípios do Direito Político", pode nos dar pistas sobre como devemos tomar esse texto. Como entender esse subtítulo? Pela observação do autor no resumo do Contrato que traz o livro V do Emílio, ficamos sabendo que ele não tinha a intenção de fazer um estudo dos direitos políticos e legislações acerca das instituições políticas das diferentes sociedades da história, para chegar ao que seriam os "princípios do direito político positivo". No Contrato, Rousseau não está preocupado propriamente com a prática e os fatos políticos concretos, com as instituições políticas existentes. Não que ele desdenhe tais objetos. Eles, na verdade, o ocupam em outros de seus textos, tais como As Considerações sobre o Governo da Polônia, o Projeto de Constituição para a Córsega e as Cartas Escritas da Montanha. No Contrato, contudo, ele tem o propósito deliberado de deixar de lado o plano concreto, dos "fatos" e do que "é", para se voltar unicamente para o plano abstrato, do "direito" e do que "deve ser". Nesse sentido ele se ocupa da pesquisa de como deveriam ser a sociedade "justa" e a ordem política "legítima". Mas, eis um ponto para o qual toda atenção seria pouca: ele não quer com essa investigação construir um quadro ideal, uma utopia – o que seria, por definição, inalcançável e irrealizável na prática –, e sim criar uma "escala", um padrão de medida que serviria para "julgar" as sociedades existentes. Pois, para ele, apenas podemos julgar as instituições políticas que temos ou tivemos na história, se soubermos como essas instituições deveriam ser. É justamente sobre esse ponto que Rousseau pretende nos alertar quando afirma no resumo do Contrato do Emílio que "é preciso saber o que deve ser para bem julgar o que é". As investigações do Contrato não podem então simplesmente – como fizeram os líderes revolucionários de 1789 – ser usadas como o modelo, pronto para ser levado à prática, da sociedade justa. Se esses homens erraram em sua interpretação do Contrato, tal não foi sem alguma razão. Pois esse texto, mormente em suas passagens-chave, acha-se escrito numa linguagem cifrada e difícil – o que também é o caso do Emílio. Tal poderia explicar tantas leituras equivocadas – e não apenas dos políticos práticos da revolução de 1789 – que temos sobre ele. Esse estilo do autor na obra talvez nos indique o quanto o assunto era espinhoso e pleno de dificuldades. Talvez também por essa razão tenha abandonado o projeto mais ambicioso, acalentado durante toda a vida, de tratar das Instituições Políticas. De toda forma, é preciso que tenhamos sempre presente, se é nosso propósito estudar a filosofia política de Rousseau, a particularidade estilística do texto, a dificuldade que acarreta para o leitor e o trabalho de decifração que muitas vezes supõe. Essa atitude cautelosa diante do discurso do Contrato será, com certeza, a via mais segura para alcançar uma boa e fundamentada compreensão do texto.

UMA NOVA AUTORIDADE POLÍTICA

Advertidos acerca da perspectiva correta com a qual devemos nos colocar diante desse texto e o que podemos esperar dele, vejamos algumas de suas principais ideias.

No Contrato, Rousseau está empenhado, sobretudo, em criar e fundamentar uma nova forma de autoridade política. Tradicionalmente essa autoridade estava concentrada no monarca. Para legitimar a autoridade do chefe, diferentes filósofos, de orientação contratualista e jusnaturalista, se esforçaram por elaborar modelos teóricos baseados no pacto de fundação da sociedade política. Esse pacto se dava entre o povo e o chefe. Por suas cláusulas, o primeiro concordava em obedecer ao último em troca de segurança, para sua vida ou para sua propriedade. Rompendo flagrantemente com esse modo tradicional de pensar a autoridade política, Rousseau inovará ao conceber o pacto de fundação da autoridade política ocorrendo não entre o chefe e o povo, mas entre os próprios homens. Desse pacto, por sua vez, em lugar de resultar a submissão do povo ao rei, resultará a constituição do próprio "povo". E mais: doravante o conjunto dos cidadãos deverá assumir o comando dos destinos da sociedade, ficando o governante limitado à mera função de executor da vontade desse conjunto. A autoridade política máxima, a "soberania", será agora prerrogativa exclusiva da pessoa do "povo", não podendo ser alienada nem comunicada para outrem, por exemplo, o monarca. É, portanto, o princípio da soberania popular que Rousseau pretende fundamentar no Contrato. Numa sociedade, seja ela qual for, de direito, a única autoridade concebível para decidir seus rumos é a própria sociedade, vale dizer, o conjunto dos cidadãos que a compõe. Nenhuma outra pessoa ou particular pode pretender ter essa autoridade. E a sociedade que não atribuir a seus cidadãos essa autoridade não será justa, nem será, no limite, uma verdadeira sociedade. Será tão somente um mero agregado de homens justapostos, um arremedo de sociedade.

Vemos, então, que o propósito de Rousseau no Contrato é nada mais nada menos que fundar as bases da democracia. Notemos, entretanto, que ele próprio não a denominou com esse termo, preferindo chamá-la por outros nomes, tais como: "república", "corpo político", "associação política" e "pátria". Podemos assim compreender a imensa fortuna crítica que teve esse texto de Rousseau e a grande repercussão que alcançou, seja em termos da história das ideias políticas, seja em termos da história das próprias práticas políticas. Podemos, ainda, perceber que somos tributários de suas ideias e que vivemos ainda profundamente sob a égide delas. Por mais que se encontrem em nossos dias desgastados os conceitos "povo" e "democracia", ideias como a do governante enquanto mero executor da vontade do povo, esse ideário ainda é aquele sob o qual vivemos, temos como meta e buscamos tornar realidade em nossa vida coletiva. Retornar à fonte primeira desses termos e ideias assume o sentido de recuperação de seus significados originais, ao mesmo tempo que retirá-los da capa ideológica sob a qual foram sendo revestidos ao longo do tempo. Tem ainda o sentido de dar-lhe nova vida. Isso terá a utilidade de nos fazer melhor enxergar nossa ação política e nossa atuação enquanto cidadãos.

Já em suas primeiras linhas, o Contrato nos coloca diante do tema das pesquisas que ali se farão: "quero indagar se pode existir, na ordem civil, alguma regra de administração legítima e segura, tomando os homens como são e as leis como podem ser. Esforçar-me-ei sempre, nessa procura, para unir o que o direito permite ao que o interesse prescreve, a fim de que não fiquem separadas a justiça e a utilidade". Um trecho denso e redigido em estilo compacto, bem ilustrativo do restante do Contrato. Sem podermos nos alongar nessa passagem-chave, que já justificou muitos estudos, devemos destacar alguns de seus elementos básicos. Ao buscar uma regra legítima de administração dos homens, o autor não está à procura, como poderíamos pensar, da melhor forma de governo. O que a investigação busca, na verdade, é bem mais amplo e importante, ele interroga sobre a melhor forma de reunir os homens numa sociedade política e pergunta pela "regra" – o princípio, a norma – que pautará essa forma de reunião. Ao conviverem, os homens travam relações políticas, ou relações de poder. Se quiséssemos que as relações políticas entre os homens fossem as mais legítimas, as mais justas possíveis, como seriam elas? Ou ainda: como deveriam ser organizadas as relações políticas entre os homens numa sociedade para estar de acordo com o "direito", com o que "deve ser"? Dessa maneira, tal investigação deverá ter como uma de suas balizas a "justiça". Mas, se atentarmos ao trecho citado, vemos que uma outra baliza deverá também guiar a investigação: trata-se nessa busca de tomar os homens "tais como são", ou de tomá-los em sua natureza própria. Ou ainda: trata-se de levar em conta seu interesse, o que é útil para eles. Essa melhor forma de reunião dos homens numa sociedade política, que procuramos, deverá atender a essas duas exigências: a justiça e a utilidade.

O HOMEM E A NATUREZA

Para sabermos como os homens são em sua natureza própria, devemos nos reportar ao Discurso sobre a Origem da Desigualdade entre os Homens. Antes de fazê-lo, passemos os olhos em outra passagem central do início do Contrato, que igualmente nos remete ao Discurso: "o homem nasce livre e por toda a parte se encontra a ferros [...] Como adveio tal mudança? [...] Que poderá legitimá-la? Creio poder resolver essa questão". Nesse trecho, Rousseau faz referência à origem do homem, à sua condição de ser natural e à sua vida no estado de natureza, tal como se encontram tratadas no Discurso. A origem do homem é ainda capaz de nos esclarecer sobre qual é essa natureza própria do homem que precisa ser levada em conta para se buscar a melhor forma de reunião dos homens numa sociedade política. Em sua condição de membro da natureza, o homem, enquanto obra dela, é por excelência definível como um ser livre. Nenhuma outra qualidade exprime tão bem a sua natureza própria quanto a sua liberdade. Ela é constitutiva dele. No contexto do mundo natural, ser livre para o homem quer dizer ser autossuficiente e, assim, independente de qualquer outro homem. De fato e a bem da verdade, ele é dependente da natureza – que permite sua autossuficiência –, mas, ao contrário do que ocorreria relativamente a um outro homem, essa dependência da natureza nada lhe custa, em nada sacrifica sua liberdade. Sendo livre e autárquico, o homem não precisa de seu semelhante. Prescindindo deste e não possuindo a tendência a conviver com ele, cada indivíduo humano vive de modo solitário e isolado. A insociabilidade é o segundo dado relevante a retermos dessa natureza própria do homem.

Ocorre, entretanto, conforme nos apresenta a história dos povos humanos relatada no Discurso, que o homem não permanecerá para sempre nessa condição de ser do mundo natural. Em virtude de circunstâncias estranhas a sua vontade e a seu poder, ele se verá em determinado momento obrigado a abandonar aquele mundo e passar a conviver com os semelhantes, ou seja, a formar com eles um outro mundo, o mundo social. Essa nova condição, a sociedade, trará para ele um elemento novo, até então desconhecido: a dependência dos semelhantes, uma vez que o estado de sociedade se caracteriza, sobretudo, pela dependência mútua, esta inicialmente econômica e material. Em sociedade, quando o homem deixa de ser autossuficiente, ele necessita do auxílio dos demais para poder sobreviver. Não havendo para ele a possibilidade de retorno à vida na condição anterior, se verá compelido – a fim de sobreviver – a se associar aos outros e formar com eles a sociedade. É precisamente nesse ponto da história da humanidade narrada no Discurso que se coloca a situação referida no trecho reproduzido acima: embora tenha nascido livre, o homem, por precisar viver em sociedade com os semelhantes, "se encontra a ferros", isto é, dependente dos demais. Diante dessa situação o Contrato inquire: como fazer para tornar essa mudança "legítima", isto é, de acordo com o direito, a justiça e o que deve ser? Em outra formulação: como fazer para conservar a liberdade – que é a essência definidora do homem – mesmo nessa nova condição de dependência dos semelhantes? Como viver em sociedade, em dependência, sem sacrificar a liberdade do homem? Será possível para o homem obter o que procura na vida em sociedade – a sobrevivência – sem alienar a sua natureza própria, a liberdade, ou seja, sem deixar de ser homem? Colocam-se aqui, portanto, duas exigências a serem satisfeitas por essa forma legítima de reunião dos homens – a da liberdade e a da dependência – que, na verdade, se observarmos bem, parecem contraditórias entre si. Como então conciliá-las?

O "PACTO SOCIAL"

É precisamente para resolver esse problema que Rousseau apresenta, no capítulo 6 do livro I do Contrato, o coração do tratado: a figura do "pacto social". Sendo o homem por natureza solitário e não inclinado a manter vínculo com seu semelhante, nenhuma forma de sociedade poderá ser dita natural. Toda ela será em consequência sempre artificial, ou seja, resultado da criação e da arte humanas. Tal criação ocorrerá por meio de um ato deliberado de associação entre os homens. Sendo estes, em sua essência, livres, o único ato concebível para ensejar tal associação será um contrato. Ou seja: um acordo firmado entre os associados, acordo esse em que todos são iguais enquanto contratantes e a que cada um só adere por livre e espontânea vontade. Desse modo, todas as sociedades têm por origem um contrato firmado entre seus membros. Mesmo aquelas sociedades que não são justas teriam se originado de um contrato, o qual, entretanto, malgrado firmado e validado por seus membros, não seria justo, por não prever obrigações e vantagens iguais para as partes contratantes. Desse modo, o pacto do rico, que teria ocorrido de fato na história dos povos humanos e que teria sido descrito na segunda parte do Discurso, previa que os pobres ganhariam pela associação a garantia de sobrevivência, isto é, a de defesa de sua vida; ninguém poderia atentar contra ela; o Estado a defenderia. Os ricos, por sua vez, além dessa vantagem, teriam o direito adicional a conservar seus bens e tê-los doravante garantidos pelo Estado. Essa diferença inicial de vantagens selaria o contrato do rico do Discurso como ilegítimo e estaria na origem de uma sociedade desigual e injusta, em que os ricos exerceriam sua opressão sobre os pobres, para o que se valeriam do auxílio do aparelho do Estado. Os pobres teriam ganho com a fundação da sociedade a garantia de sobrevivência, mas teriam perdido a liberdade. Portanto, o pacto do rico não consegue satisfazer a exigência referida acima, a da conciliação entre dependência e liberdade. Parte dos que se associam para formar a sociedade, os pobres, embora ganhem garantia de sobrevivência, perdem a da liberdade. Será possível pensar num pacto que não sacrifique a liberdade, que mantenha a totalidade dos homens tão livres quanto antes?

Eis então o elemento fundamental e singular ao pacto civil, o único pacto legítimo concebível para fundar uma sociedade: ele garante a liberdade para cada um dos homens que se associam. Isso é possível em virtude da condição enunciada pela única cláusula do contrato: a alienação de cada associado, sua pessoa e seus direitos, em favor da comunidade. Ei-la: a "alienação total de cada associado, com todos os seus direitos, à comunidade toda [...] cada um dando-se completamente, a condição é igual para todos". Esse trecho central do Contrato, em estilo cifrado e pleno de significado complexo, como não poderia deixar de ser, conduziu a muitas leituras equivocadas. Dar-se à comunidade não quer dizer, como se chegou a pensar, o desaparecimento do indivíduo e o totalitarismo do todo, do Estado, da massa etc. Alienar seus direitos em favor da comunidade quer dizer, dentre outros sentidos, passar a reconhecer como direitos seus apenas e tão somente aqueles que serão conferidos pela comunidade. Se esta, por exemplo, houver por bem redistribuir as riquezas dos associados para melhor igualá-los e assim prevenir a dominação dos ricos sobre os pobres, ela terá a autoridade para fazê-lo, posto que os seus fundadores no ato do contrato atribuíram a ela o sumo poder. Eis então outro sentido crucial dessa complexa cláusula: ela dá nascimento ao corpo coletivo, à pessoa moral que é a própria comunidade, a própria sociedade. E mais, ela dá nascimento à soberania, à autoridade máxima do conjunto resultante, a comunidade. Tal soberania será exercida pela vontade da comunidade, denominada por Rousseau "vontade geral".

Dissemos que o pacto social é o único que conserva a liberdade do homem, que preserva a sua liberdade no estado de dependência que é o de sociedade. Como, entretanto, poderá o indivíduo que firma esse pacto conservar sua liberdade se justamente ele deve alienar a si e a seus direitos em favor da comunidade e se pôr à inteira mercê da vontade dela? Se tudo alienou e apenas deve obedecer à vontade da comunidade, onde está sua liberdade? Na verdade, para resolver essa dificuldade falta-nos referir o último elemento essencial desse contrato: por efeito dele cada indivíduo será na comunidade não apenas "súdito", vale dizer, submetido à vontade dela, mas será também participante da autoridade soberana, com direito, portanto, a definir a vontade geral. Além de súdito, cada indivíduo será também "cidadão". Ao definir a vontade da comunidade a que se submeterá, é como se se submetesse à própria vontade. Ora, ser livre nada mais é, na definição de Rousseau, que obedecer à própria vontade e não à vontade de outrem. Fecha-se assim o círculo traçado pelo "pacto social": ele conseguiu preservar a liberdade constitutiva do homem no estado de dependência que é o de sociedade. A única sociedade que é, portanto, justa é aquela em que os homens são livres. O único modo de ser livre para cada homem é viver numa sociedade em que a autoridade máxima está não com o governante, mas com a própria comunidade, tendo direito a participar diretamente da elaboração da vontade e das decisões fundamentais dessa comunidade.

LUZ EM TEMPOS SOMBRIOS

Eis, caro leitor, exposto em breves termos o projeto político de salvação da sociedade de Rousseau que encontramos no Contrato Social. Nosso resumo poderá agora permitir-lhe a ida ao próprio texto para aprofundar e melhor delinear as ideias do autor. Esse retorno à filosofia política do século XVIII, esperamos, terá o sentido de fazer "espírito vivo" o que, à primeira vista, por distante de nós e longínquo, poderia parecer "letra morta". Tal visita às reflexões políticas do passado tem o poder de iluminar nossos tempos sombrios e ainda pode nos permitir alcançar a melhor decisão política a adotar em nosso exercício da cidadania e nos posicionarmos melhor frente à luta contínua, contra a opressão e a miséria, a que somos chamados quotidianamente em nosso mundo.

Contribuições para a educação

A GRANDE REVOLUÇÃO PEDAGÓGICA

por Danilo R. Streck

O desafio é ver a criança na criança e o homem no homem, mas também o homem na criança e a criança no homem. A felicidade é construída no hoje, mas ela tem como referência a vida toda

Poucos autores igualam Rousseau como referência em tantas áreas: filosofia, ciência política, antropologia, artes e educação, para citar apenas as mais evidentes. Por essas múltiplas vinculações de sua teoria é oportuno perguntar-nos como, para ele, se organizam os saberes de uma teoria educacional, uma vez que segundo Rousseau a revolução pedagógica está no âmago das demais. O Emílio não foi apenas o livro que provocou as reações mais violentas, mas foi também aquele que o próprio autor considerou como sendo sua melhor obra. A tentativa é de fazer uma leitura transversal da obra pedagógica para perguntar o significado de seu pensamento para a teoria pedagógica e a prática educativa hoje.

RAZÃO E PAIXÃO NA ARTE DE EDUCAR

Rousseau se coloca no meio dos conflitos da sociedade de seu tempo de forma apaixonada. Afinal, é pela atividade das paixões que a razão se aperfeiçoa, segundo se lê no Discurso sobre a Origem e os Fundamentos da Desigualdade entre os Homens: "Só procuramos conhecer porque desejamos usufruir e é impossível conceber porque aquele, que não tem desejos ou temores, dar-se-ia a pensar e raciocinar". Um exemplo de como ele era possuído pelas questões é o momento em que decide participar do concurso lançado pela academia de Dijon com a seguinte pergunta: "O restabelecimento das ciências e das artes terá contribuído para aprimorar os costumes?" Ao ler o anúncio no jornal, ele foi imediatamente tomado por um turbilhão de ideias que o obrigou a sentar-se à sombra de uma árvore, banhado em lágrimas. O resultado foi o Discurso sobre as Ciências e as Artes, pelo qual ele recebeu o prêmio da academia.

O educador, seguindo Rousseau, não é um técnico ou um gerente de competências. As antenas estão ligadas para perceber as grandes questões de seu tempo: o papel das artes e ciências, a origem das desigualdades, a origem das línguas, as formas de governo e a organização da sociedade que emergia. Técnicas pedagógicas, quando as há, estão inseridas nestas questões mais amplas da constituição do ser humano e da sociedade. "A arte do mestre consiste em nunca deixar que suas observações se entorpeçam sobre minúcias que não se relacionam com nada, mas em aproximá-lo continuamente das grandes relações que um dia deverá conhecer para bem julgar sobre a boa e a má ordem da sociedade civil", escreve no Emílio.

Os saberes da pedagogia necessitam, por isso, de um olhar interdisciplinar quando não transdisciplinar. Afinal, é a vida e a felicidade humana que estão em jogo e têm muitos lados e dimensões. Os saberes específicos das diferentes áreas não são uma finalidade em si mesmos, mas instrumentos para promover o desenvolvimento desta vida. A pedagogia, sendo uma espécie de lugar de encontro de diferentes saberes, nasce diferente das outras disciplinas. Rousseau, talvez por isso, dirá que a educação é uma arte. E justifica: é quase impossível que tenha êxito porque temos muito pouco controle de todos os fatores que favorecem ou dificultam o processo de aprender e ensinar. O comportamento do preceptor de fato tem mais de artista do que de cientista. Primeiro, ele sonha – literalmente – o seu educando e mais para o fim do livro a companheira. Depois vem o paciente processo de deixar emergir as formas, dirigindo e modelando tanto o Emílio quanto a Sofia. Por fim, a criatura adquire vida própria. Emílio e Sofia deverão agora assumir a tarefa de educar a nova geração, com a orientação do preceptor.

Mas é uma arte que não dispensa a razão: Rousseau reclama que os "teóricos" da educação das crianças seguem os mesmos preconceitos e as mesmas máximas, porque "observam mal e refletem ainda pior". Que tipo de competências, então, seriam necessárias para conhecer os homens e, respectivamente, o seu processo de formação? Rousseau formula, no Emílio, a resposta da seguinte maneira: "Um grande interesse em conhecê-los, uma grande imparcialidade para julgá-los, um coração suficientemente sensível para compreender as paixões humanas e suficientemente calmo para não experimentá-las".

Este tripé – interesse em conhecer o homem, capacidade de julgar e coração sensível para compreender – é a base do currículo de formação do Emílio, o educador da nova sociedade. As três capacidades passam por um longo processo de experimentação e amadurecimento. O interesse vem do confronto com uma variedade de situações às quais Emílio é gradualmente exposto; a imparcialidade de juízo pressupõe conhecimentos que permitem comparar e avaliar e a sensibilidade vem da constante vigilância para preservar a memória da idade de ouro, o estado de natureza, que invade o presente como saudade.

Em Rousseau o educador perde o seu lugar cativo de ensinante. Eis a recomendação ao preceptor do Emílio: "Para torná-lo mestre, sede em toda parte aprendiz". O mestre não é mestre porque sabe e ensina, mas porque sabe aprender e com isso ensina. Seu ensino consiste, sobretudo, em propor as questões certas aos educandos e colocar ao seu alcance os meios para aprender. Para isso faz-se necessário, além do desejo de aprender, a capacidade de se colocar no lugar da criança, de penetrar as suas ideias e de sentir a sua alma. Mestre é quem sabe colocar-se junto com o movimento da vida, que aprende simplesmente porque gostar de aprender e gostar de viver andam abraçados.

UM PROJETO DE FORMAÇÃO HUMANA

Rousseau caminha nos rastros de Comenius ao ver a educação, por um lado, como parte do processo formativo da natureza e, por outro, como uma tarefa da sociedade e suas instituições. Em Comenius havia dois tipos de metáforas: as orgânicas (a educação requer os mesmos cuidados que o crescimento de uma planta) e as mecânicas (a escola como uma gráfica ou o ser humano como relógio). Em Rousseau esta tensão continua e vemos referências ao ser humano como essencialmente alma e coração ou como uma máquina que pensa. Há necessidades e limites da natureza ou da sociedade que balizam o processo formativo. Ao mesmo tempo, este não tem um fim fixo: nem fim como meta única e fim como término. Os saberes da teoria pedagógica, portanto, situam-se entre o que pode e deve ser conhecido porque faz parte das ciências e o que se projeta a partir das necessidades e dos desejos.

Este projeto de formação humana tem vários desdobramentos, dentre os quais podem ser destacados A visão utópica, Um projeto para o ser humano e A criança na criança.

A VISÃO UTÓPICA

Uma das marcas de Rousseau é o seu pensamento utópico. Se existe desigualdade, não é por fatalidade ou por força de algum destino. Se as artes e as ciências são instrumentos de alienação e infortúnio, não há nenhuma lei que as impeça de servirem objetivos diferentes. A utopia de Rousseau se funda na inconformidade de tomar as coisas tais quais são como critério e medida para projetar o futuro.

O contrato social deveria ser um instrumento para garantir um outro tipo de organização da sociedade. Rousseau não nos contempla com uma compreensão fechada de utopia, um mundo ideal a ser conquistado por qualquer meio. Este ideal existe somo sombra num passado muito remoto e deve servir como fonte inspiradora para desenhar os contornos do futuro. O fato de a visão utópica estar mais vinculada com a forma de criar a nova sociedade do que com um projeto definido tem um significado especial para a educação. Não se podem separar os meios dos fins, os procedimentos das metas que se pretende alcançar. Emílio apenas poderá ser livre se tiver experimentado esta liberdade em sua educação.

O contrato social moderno, do qual Rousseau foi um dos principais arquitetos, mostra amplos sinais de esgotamento. Fala-se hoje, por isso, em novo contrato social que contemple as mudanças que vivemos: um contrato que, entre outras coisas, dê conta do local, do nacional e do global; que considere ao mesmo tempo a igualdade e as diferenças; que estabeleça uma nova relação com a natureza e que desenvolva novas institucionalidades para a democracia.

São questões-chaves para debatermos dentro da teoria pedagógica atual, ainda mais quando parece estarmos vivendo numa sociedade que tende a prescindir de contratos.

O educador, no sentido de Rousseau, é alguém que sonha o mundo. Ele conhece profundamente a sua realidade e a partir deste conhecimento se lança a propor e experimentar outras formas de viver junto. Por mais fundamental que seja o contrato para a vivência em sociedade, ele não dá conta de toda a vida, quem sabe até do mais importante. O contrato pode assegurar certa justiça, mas não solidariedade; ele pode promover a igualdade, mas não a compaixão. Já em Rousseau, a educação para o contrato social precisa ser também uma educação para além do contrato. O liame social é questão de leis e instituições, mas é também – e sobretudo – coisa de corações. Rompido o liame que liga os corações resta apenas o formalismo das leis. E este não se mantém por si mesmo.

A visão utópica, por isso, tem duas fontes igualmente importantes. Por um lado, é a alma humana em busca de sintonia com a natureza e com o próximo. Por outro lado, é a razão que se instrumentaliza e capacita para denunciar a perversidade do mundo e para projetar um futuro diferente. Pensar o habitat do ser humano é desenvolver as sensibilidades e racionalidades capazes de nomear a realidade e de sonhar alternativas.

UM PROJETO PARA O SER HUMANO

Rousseau é criticado por escolher como educando um órfão rico e desprezar as muitas crianças pobres e abandonadas, entre as quais os seus próprios filhos. Mas há nesse processo de escolha algo que merece ser realçado. O preceptor literalmente inventa o seu educando. O educando existe primeiro porque é desejado pelo educador. Antes de ser um menino de carne e osso ele está na cabeça do preceptor como um projeto.

Isso é possível porque Rousseau é um atento observador das crianças. Em Os Devaneios de um Caminhante Solitário ele comenta que, se fez algum progresso no conhecimento do coração humano, foi o prazer que sentia ao ver e observar as crianças que lhe proporcionaram este conhecimento. Seria um absurdo, diz ele, se a Heloísa ou o Emílio fossem a obra de alguém que não ama as crianças. Amor e competência técnica não se excluem. Se vamos por Rousseau, diríamos que um projeto de ser humano é gerado primeiro como um gesto de amor. A competência é uma decorrência natural.

Um critério da boa educação é a capacidade do educando de saborear a vida. É a vida antes da morte que importa. Rousseau denunciava que os homens eram a mercadoria mais barata. Com a mundialização do mercado competitivo esta observação apenas se confirma. Por isso, quando autores (Antonio Magalhães e Stephen Stoer) escrevem um livro com o título "orgulhosamente filhos de Rousseau", a intenção é de preservar a dimensão formativa do humano em contraposição ao treinamento para a performance neste mercado.

A CRIANÇA NA CRIANÇA

Em Rousseau entrevemos muitas lições da moderna psicologia do desenvolvimento humano. Os estágios de Piaget, a zona de desenvolvimento proximal de Vigotski, as fases de Freud e de Erikson estão embrionariamente presentes no Emílio e em outras obras. Conhecer a linguagem, conhecer as paixões, os movimentos do corpo, enfim, conhecer a alma humana em cada etapa da vida é um saber essencial para a teoria pedagógica. Não fazendo isso, dizia Rousseau, corre-se o risco de ter crianças doutores e velhos crianças. Ele sabe da novidade que está propondo: "É aqui que julgo seguir uma estrada nova e segura para tornar ao mesmo tempo uma criança livre, tranquila, afetuosa, dócil e isso de um modo muito simples, o de convencê-la de que é apenas uma criança", escreve em Júlia ou A Nova Heloísa.

Deixar a criança ser criança implica ter tempo. Rousseau, junto com uma educação útil, advoga um processo pedagógico no qual se tenha coragem de perder tempo. Tudo o que se ensina com o fim de ganhar tempo acaba, num efeito bumerangue, voltando-se contra o desenvolvimento da vontade e da capacidade de aprender. Sendo cada idade um valor em si mesmo e não sendo a educação restrita a um só estágio da vida, não há por que violentar a natureza com pressa de chegar quem sabe aonde.

A PAIDEIA MODERNA

Na nova sociedade a educação das crianças deverá ser uma responsabilidade pública. Emílio e Sofia são preparados para serem os primeiros e mais importantes educadores de seus filhos. Júlia e Wolmar, no livro Júlia ou a Nova Heloísa, discutem longamente sobre a educação de sua prole. Ambos os casais, no entanto, desempenham esta tarefa como integrantes de um povo, dentro do círculo da vontade geral. Eles são os representantes da sociedade nesta primeira e decisiva educação. Posteriormente outras pessoas e agências completarão a tarefa.

Um dado importante é que a tarefa não é posta simplesmente aos governantes, com a admoestação de que criem escolas. Isso já tinha sido feito pela reforma protestante, por sinal com bons resultados em termos de instrução básica. Em Rousseau a sociedade como um todo se torna um contexto pedagógico. O contrato social não tem condições de vigorar se não houver cidadãos preparados, capazes de sentir com o outro, de julgar e de agir com autonomia. É a expressão de uma nova paideia – a paideia moderna.

Rousseau posiciona-se a favor de uma escola igual para todos. Em suas Considerações sobre o Governo da Polônia, ao tratar da educação, ele inicia reforçando o papel da mãe como a grande formadora do republicano. "Todo verdadeiro republicano sugou com o leite de sua mãe o amor de sua pátria, isto é, das leis e da liberdade." Em seguida ele critica a distinção entre colégios e academias, que proporcionam uma educação diferente para ricos e pobres. "Todos, sendo iguais pela constituição do Estado, devem ser educados juntos e da mesma maneira e se não se pode estabelecer uma educação pública totalmente gratuita, é preciso ao menos oferecê-la a um preço que os pobres podem pagar." Sugere que o Estado ofereça bolsas no intuito de possibilitar o acesso de todos à educação pública.

Ao mesmo tempo, enquanto participa na defesa da universalização da educação escolar, Rousseau critica a escola e aponta em duas direções. Primeiro, para o indivíduo que ele percebe correndo o risco de se perder na massa. A democracia requer pessoas que saibam pensar por si, a nova economia exige pessoas criativas e empreendedoras, a família nuclear não pode prescindir do afeto. Em segundo lugar, para a ampliação do leque das agências educativas. Rousseau reforça o papel pedagógico da comunidade, exemplificado mais tarde por Pestalozzi no romance Leonardo e Gertrudes. Ali, a mãe, homenageada por Rousseau no Emílio, se torna a educadora por excelência – heroica e salvadora – de toda uma comunidade à beira da perdição.

Um dos desafios da teoria pedagógica atual talvez seja recuperar a possibilidade de se pensar uma paideia para este nosso tempo de transição. Ela implica perguntar pelos espaços e pelos tempos da formação, pelos seus agentes, pela responsabilidade da tarefa formadora. A mãe preconizada por Rousseau não é a mãe de hoje, assim como não o são a escola, a Igreja, o Estado e outras instituições. A volta a Rousseau parece oportuna quando um amplo movimento pedagógico procura reinventar a comunidade educadora. Nele parece que podemos encontrar algumas chaves para formular as perguntas capazes de gerar propostas e ações de que hoje necessitamos.

PENSAR SIM, MAS NOS LIMITES: A EDUCAÇÃO DA MULHER

O Livro V do Emílio, que trata centralmente de Sofia, gera um desencanto no leitor, sobretudo na leitora de hoje. Até aqui se acompanhamos com gosto e atenção as preciosas observações do pensamento da criança, o estudo da natureza, do homem e seu mundo, de repente, no início deste livro, nos deparamos com esta afirmação desconcertante: "Em tudo o que não depende do sexo, a mulher é homem: tem os mesmos órgãos, as mesmas necessidades, as mesmas faculdades; a máquina é construída da mesma maneira, as peças são as mesmas, o funcionamento de uma é o mesmo da outra, a figura é semelhante, e, sob qualquer ângulo que os consideremos, só diferem entre si do mais para o menos".

Cada um deles, homem e mulher, concorre para o mesmo objetivo, mas de maneira distinta, de acordo com a sua natureza própria. O homem é forte e ativo; a mulher passiva e dócil. Ambos se complementam nestes papéis que a natureza teria distribuído sabiamente para a boa convivência. No assunto de gênero o revolucionário Rousseau toma decididamente o lado conservador. Ele nota, por exemplo, que se vive uma época de "confusão dos sexos" e reconhece o protesto das mulheres, mas acha uma maneira bastante simplista de rebater as críticas. Ora, argumenta ele, como os homens poderiam ser culpados pela situação das mulheres se são as mulheres que criam tanto os homens quanto as mulheres?

Propõe, por isso, sem escrúpulos uma educação específica para as mulheres: "Ofereci sem escrúpulos uma educação de mulher às mulheres, fazei com que gostem dos trabalhos de seu sexo, com que tenham modéstia, saibam zelar por seu lar e cuidar da casa; o cuidado excessivo com a beleza desaparecerá por si mesmo e elas só se vestirão com um gosto melhor". O argumento de que existem na natureza os critérios para determinar as diferenças entre os sexos humanos fica especialmente evidente quando Rousseau trata da razão feminina. Sofia não deverá ser autômato nem serva, "ela pode aprender muitas coisas, mas apenas aquelas que lhe convém". Como observador atento de sua sociedade, Rousseau vê que as meninas gostam de brincar com bonecas, especialmente de enfeitá-las. Daí que a aprendizagem do bordado e da costura são um caminho natural para a sua educação ao passo que ler e escrever são tarefas custosas.

Há, aos olhos de hoje, evidentes contradições na argumentação de Rousseau. Por um lado, as mulheres têm seus limites fixados pela natureza; por outro lado, elas precisam ser cuidadosamente controladas para não excederem estes limites. A afirmação no início do Emílio de que nenhum filósofo se atreveu a medir a distância que vai entre um homem e outro com certeza não vale para as mulheres. Para elas há limites, estabelecidos por alguém que parece ter uma visão privilegiada da natureza. Afinal, conclui Rousseau, elas sempre estarão sujeitas ao juízo masculino.

Diferente do homem razoável, capaz do raciocínio abstrato que elabora princípios, a razão das mulheres é eminentemente prática. Elas são dotadas de uma "moral experimental", colada aos fatos, enquanto aos homens foi concedida a capacidade de sistematizar. Em outra passagem Rousseau discute como os homens conhecem os fins, mas precisam das mulheres para descobrir os caminhos. A interdependência, no entanto, é tal e tão perfeita "que é com o homem que a mulher aprende o que deve ver e é com a mulher que o homem aprende o que deve fazer".

As meninas também precisam ser ensinadas conforme sua idade, mas sempre tendo em vista os limites. No caso da religião, a exemplo do que ocorre com os meninos, não se espera uma simples repetição de dogmas, mas Rousseau adverte que ninguém imaginaria transformar uma mulher em teóloga. Para o lar, então, a mulher letrada é um desastre: "Uma moça intelectual é o flagelo de seu marido, de seus filhos, de seus amigos, de seus empregados, de todo mundo". Não é por menos que o destino de tais mulheres é permanecerem solteiras a vida inteira.

ROUSSEAU E O ESPÍRITO DE EMANCIPAÇÃO NA AMÉRICA LATINA

Não é de estranhar que Rousseau tenha encontrado eco nos movimentos de independência na América Latina e suas ideias estivessem desde o início no "fogo cruzado". Embora haja pontos de vista diferentes sobre o grau e o tipo de influência das suas ideias nas lutas de emancipação, parece haver um consenso quanto à sua presença. O livro de Boleslao Lewin, Rousseau en la Independencia de Latinoamerica, contém uma rica documentação sobre o assunto e servirá de fonte para alguns destaques a respeito deste envolvimento.

Um dado significativo para compreender o clima político da época é a proibição da obra de Rousseau pela Inquisição, conforme é afirmado em documento de 27 de agosto de 1808. O documento exige a fidelidade de todos os vassalos para com os monarcas católicos e admoesta para que ninguém se desvie do principio fundamental para a felicidade, qual seja, que o rei recebe a sua autoridade de Deus. E continua: "Para a mais exata observância destes católicos princípios reproduzimos a proibição de todos e quaisquer livros e papéis e de qualquer doutrina que exerça influência e coopere de qualquer modo à independência, e insubordinação às legítimas potestades, seja renovando a heresia manifesta na soberania do povo, segundo o dogmatizou Rousseau em seu Contrato Social e ensinaram outros filósofos".

O fato de o Santo Ofício da Inquisição ter que vir a público, reafirmando o poder do rei como direito divino e denunciando a heresia da soberania do povo, com menção explícita do Contrato Social de Rousseau, é, em si, prova de que as suas ideias circulavam em alguns meios causando apreensões e mal-estar à medida que alimentavam sonhos de liberdade. Num discurso na Constituinte da Bolívia, em 1826, o Contrato Social serviu para defender o lugar dos indígenas: "A questão do pacto social não é outra coisa que o desejo de felicidade, em função do que os homens consentiram em formar uma força pública, que os defenda a todos, e em nomear magistrados para que garantam seus direitos: de sorte que os indígenas não participam de todos os bens da sociedade, o pacto com respeito a eles será nulo e de nenhum valor. Outrossim, se tem sancionado que a soberania reside no povo e este povo é composto por todos os bolivianos, sendo que são indígenas pelo menos dois terços destes".

Sabe-se também que Simon Bolívar (1783-1830) havia lido Montesquieu, Rousseau e outros pensadores da época. Estudos revelam, ao mesmo tempo, falta de clareza quanto ao papel e ao tipo de Estado que os libertadores pensavam em implantar e qual o real papel que o povo deveria desempenhar em suas novas pátrias. Conforme uma citação do próprio Bolívar: "O sistema federal, embora seja mais perfeito e o mais capaz de proporcionar a felicidade humana em sociedades, é, não obstante, o mais oposto aos interesses de nossos nascentes Estados. Falando em geral, nossos cidadãos ainda não estão com aptidão de exercer por si mesmos, e amplamente, os seus direitos, porque carecem das virtudes políticas que caracterizam o verdadeiro republicano; virtudes que não se adquirem de governos absolutos, onde se desconhecem os direitos e os deveres dos cidadãos". Ou seja, a mesma ideia de imaturidade do povo para o exercício da cidadania que depois foi usada por várias gerações de ditadores e continua presente na ação política de muitos governantes.

Também esta contradição pode ser um eco do pensamento de Rousseau. No contrato social, ao mesmo tempo que visualiza como sociedade ideal aquela em que os cidadãos discutem e decidem as suas questões à sombra de uma árvore, Rousseau manifesta desconfiança em relação ao povo, ao menos nas condições em que se encontra. Conclui que "se existisse um povo de deuses, governar-se-ia democraticamente. Governo tão perfeito não convém aos homens". São os limites do seu princípio de tomar os homens como são e as leis como podem ser.

Além disso, deve ser levado em conta que a formação dos Estados nacionais na América Latina se deu de maneira muito distinta dos países onde surgiu a discussão do contrato social com Hobbes, Locke e Rousseau. Nestes países a experiência feudal favoreceu a concepção contratualista do poder político por haver originado uma multiplicidade de centros de poder. Na América Latina, de modo distinto, era comum um poder centralizado em uma autoridade patriarcal forte. Que tipo de contrato, por exemplo, poderia haver entre um senhor e seus escravos fora do raio da dominação e submissão? Ou dos invasores com os povos originários se até era posta em dúvida sua condição de humanos? Reflexo disso é a precária educação pública na época da emancipação; no caso do Brasil, praticamente inexistente. Pelo contrário, havia o interesse da Corte em evitar o alastramento dos ideais iluministas em seu domínio.

Na história do Brasil dois fatos da época em que Rousseau escrevia seus livros são importantes. Um deles é a expulsão dos jesuítas em 1759 pelo Marquês de Pombal e outro é a Inconfidência Mineira, sob liderança de Tiradentes (morto em 21 de abril de 1792). O primeiro tem a ver com a passagem da responsabilidade pela educação às mãos do Estado, como um dever e um direito público, e o segundo com a busca de alternativas políticas que favorecessem a liberdade. Em ambos se sente pulsar as ideias revolucionárias de Rousseau que, por essa época, muitos estudantes da elite brasileira absorviam nas universidades de Portugal e da França.

No início do século XIX, no mesmo período em que a Inquisição condena Rousseau, surgem em vários países da América Latina catecismos de educação cívica que propõem publicamente novas formas de organização política. Defendem o governo republicano e democrático como o melhor porque é o povo que manda através de seus representantes, "é o único que conserva a dignidade e majestade do povo, o que mais se aproxima e o que menos separa os homens de sua primitiva igualdade na qual o Deus onipotente os criou". Em diferentes graus e formas o clima do mundo de Rousseau é também o clima de nosso mundo.

ONDE ESTÁ ROUSSEAU HOJE?

A literatura pedagógica, também a latino-americana, é unânime em associar Rousseau à educação infantil, com o deslocamento do eixo da relação professor-aluno para o polo do aluno e do eixo ensinar-aprender para o polo do aprender. São temas que estão no centro de uma revolução pedagógica que ainda não terminou e que talvez nunca termine porque formula perguntas que continuaremos fazendo enquanto fizermos educação. Mas isso não é tudo. Rousseau está presente em alguns outros traços da atual pedagogia latino-americana, conforme indicamos a seguir.

UMA EDUCAÇÃO INCONFORME

Um traço marcante da pedagogia latino-americana é a sua inconformidade; o seu caráter instituinte. Nas últimas décadas este traço se fez presente de maneira especial na educação popular, uma prática pedagógica que é, por natureza, uma educação iconoclasta e que se realiza de preferência nas margens do instituído.

Esta pedagogia bebe de fontes autóctones, mas também se insere numa vertente que tem em Rousseau uma fonte importante. Este, como vimos, não faz uma pedagogia adaptada ou domesticada. Ele sonha outra sociedade e outra educação e põe "mãos à pluma" para criá-la. Retrospectivamente podemos, hoje, identificar muitos pontos frágeis e muitos enganos em seu projeto de sociedade e de formação. Mas ele ousou, no seu tempo, criar um não-lugar (uma utopia) de onde fazer a sua pedagogia. O problema está em tentar transformar este não-lugar novamente em morada segura e perene. Esta educação peregrina, que cruza fronteiras geográficas e simbólicas, é herdeira de Rousseau.

Em nossa história da educação é quase impossível não estabelecer conexões entre Rousseau e nomes importantes da pedagogia latino-americana, como José Martí e Paulo Freire. Uma frase como esta, de Martí, extraída de Nossa América, poderia ser de Rousseau: "A cruzada que se deve empreender agora é para revelar aos homens sua própria natureza e para lhes dar, com o conhecimento da ciência simples e prática, a independência pessoal, que fortalece a bondade e fomenta o decoro, e o orgulho de ser criatura amável e matéria viva do magno universo". Temas como a crença numa natureza boa, o valor da educação útil e prática, a independência pessoal, a fé na bondade da pessoa e a pessoa como parte de um sistema vivo e vibrante são todos temas bem conhecidos de Rousseau. Sem falar na veemência com que Martí denuncia a perpetuação de sociedades de togas e de alpargatas.

A aproximação com Paulo Freire é ainda mais evidente. O último livro deste educador brasileiro teve o título – estranho e extemporâneo para alguns – de Pedagogia da Autonomia. Como falar de autonomia numa época em que se acredita antes no fim da história, das utopias, das ideologias e do sujeito? O que Paulo Freire faz é ressignificar a ideia de autonomia dentro de uma visão pós-moderna da própria modernidade. Isso fica bem expresso, por exemplo, nesta frase: "Só, na verdade, quem pensa certo, mesmo que, às vezes, pense errado, é quem pode ensinar a pensar certo. E uma das condições necessárias a pensar certo é não estarmos demasiado certos de nossas certezas". Ou seja, há um sujeito que pensa e, mais do que isso, procura pensar certo, mas faz isso a partir de verdades que se sabem provisórias.

Esta educação inconforme pode estar em toda parte, mas é nas margens que ela parece ter o seu habitat original porque é a partir das necessidades concretas que a sociedade se reinventa. Os nobres e o clero queimaram os livros de Rousseau porque sentiram a ameaça que o cidadão Emílio e a cidadã Sofia, bem educados, poderiam representar para o regime de privilégios que os sustentava. Martí foi morto em combate pela emancipação de Cuba e se transformou no grande inspirador da Revolução Cubana. Paulo Freire foi forçado a um exílio de quinze anos onde, paradoxalmente, suas ideias encontraram muito chão fértil nos movimentos de libertação que se espalhavam pelo mundo.

OUTROS SUJEITOS PEDAGÓGICOS

O panorama educacional revela hoje uma enorme complexidade. Ao colocar Emílio como o educador do próprio Rousseau, abrem-se as portas para outras compreensões do sujeito educativo. Por exemplo, Marx poderá dizer mais tarde que quem deverá educar o educador é uma classe social, o proletariado. Hoje talvez pudéssemos ver este sujeito não num lugar fixo, mas imbricado no próprio movimento da sociedade.

O Fórum Social Mundial pode ser visto hoje como uma manifestação desta sociedade em movimento. O Fórum tem o papel fundamental de trazer para um mesmo palco de discussão as experiências locais e as reflexões num nível macro. Nesse sentido, ele é diferente de congressos acadêmicos em pelo menos dois sentidos importantes. Uma vez, por reunir no mesmo espaço pesquisadores de diferentes áreas. Há mesas e sessões específicas, com pautas determinadas pela área, mas há também amplo espaço de interação. Mais importante que isso, no entanto, é que o mesmo acadêmico que precisa pensar interdisciplinarmente (ou, se possível, transdisciplinarmente) se vê ao lado do ativista em movimentos sociais ou de artistas que se expressam com outras linguagens.

Estou sugerindo que experiências como a do Fórum Social Mundial são lugares de encontro dos sujeitos pedagógicos que, hoje, se colocam o desafio de pensar uma outra educação dentro de um outro mundo. Há, nesta sociedade em movimento, pouco espaço para heroísmos. As esperanças podem ser menores porque espalhadas em muitos grupos e movimentos, mas juntas elas sinalizam a possibilidade de novos espaços de deliberação e decisão democrática.

Rousseau está ali onde se descobrem e inventam novos Emílios e novas Júlias que eduquem a nós, educadores e pesquisadores. Quem sabe desta vez queiramos que nosso educador seja o Sexta-Feira, o escravo, e não o Robinson, o herói náufrago branco (Robinson Crusoe, de Daniel Defoe deveria ser o primeiro livro de leitura do Emílio). Como diria Enrique Dussel, o anti-Emílio da pedagogia freireana; não o herói solitário, mas uma subjetividade construída pela intersubjetividade da comunidade das vítimas de uma sociedade não menos perversa que no tempo de Rousseau.

OUTRAS RACIONALIDADES

Do meio das luzes, Rousseau faz da própria razão e suas razões um tema de debate. Ele combate o mito de que a razão precisa ser fria, sem alma e sem corpo. Este tipo de razão, se existe, é capenga porque lhe falta uma das pernas. Ele coloca essas belas palavras na carta de Milorde Eduard: "Um coração íntegro é, confesso-o, o porta-voz da verdade, aquele que nada sentiu nada sabe aprender, apenas flutua de erro em erro, apenas adquire em vão saber e estéreis conhecimentos porque a verdadeira relação das coisas com o homem, que é a sua principal ciência, permanece sempre escondida para ele. Mas não estudar também as relações que têm as coisas entre si, para melhor julgar aquelas que têm conosco, significa limitar-se à primeira metade da ciência".

Voltamos hoje a valorizar a primeira metade da ciência. A reação dos alunos mostra que a escola não é um lugar tão mais desejado que no tempo de Rousseau e que Pestalozzi, nos passos de Rousseau, viria a denunciar como máquinas de torturar os corpos e asfixiar as mentes das crianças. De solução para os problemas da sociedade a escola tende a se tornar cada vez mais parte de seus problemas, quando não origem como alguns críticos querem. São racionalidades (e sentimentalidades) que resistem a ser aprisionadas e padronizadas. Diria que Rousseau está presente quando e onde se procura ver o aprender como a grande possibilidade de nos tornarmos humanos, em toda a sua amplitude e radicalidade.

Se as racionalidades são distintas entre as pessoas e culturas, elas também o são na própria pessoa. Um dos fascínios do Emílio está na ousadia de imaginar a educação de uma pessoa, em todas as áreas, do nascimento aos 20 anos de idade. Aos nossos olhos acostumados à segmentação da vida isso parece impossível. Entendemo-nos como professores de educação infantil, ou de geografia. Pesquisamos sobre juventude ou sobre gênero. Rousseau nos desafia a ver a criança na criança e o homem no homem, mas também o homem na criança e a criança no homem. A felicidade é construída no hoje, mas ela tem como referência a vida toda. Como escreve ele em Os Devaneios de um Caminhante Solitário: "A juventude é o momento de estudar a sabedoria; a velhice é o momento de praticá-la. A experiência instrui sempre, confesso-o; mas somente é útil para o espaço de tempo que se tem diante de si. É no momento em que é preciso morrer que se deve aprender como se deveria ter vivido?".

O legado - I

A IMPORTÂNCIA DO MESTRE EXEMPLAR

por Priscila Grigoletto Nacarato

É preciso recuperar a obra e a imagem de Rousseau, para que se conheça de modo aprofundado seu ideário de formação do homem moral

Os princípios pedagógicos de Rousseau, apesar de terem sido formulados no século XVIII, são, ainda, fonte de inesgotáveis estudos e reflexões, pois permitem a busca de referência para questões que vivenciamos em nossos dias.

O objetivo de nossa pesquisa foi, pois, conhecer o papel desempenhado por Rousseau na formação dos professores das séries iniciais de escolarização no Brasil. Para isso formulamos algumas questões: Qual o currículo da disciplina História da Educação dos cursos de formação de professores? Rousseau fazia parte dos conteúdos apresentados aos futuros professores? Como ele era apresentado a esses alunos?

Notamos que a disciplina História da Educação desempenhou, no período estudado – de 1946 a 1996 –, um papel importante na formação do professor, como disciplina teórica e formadora. Embora a sua carga horária tenha sido menor do que as disciplinas consideradas práticas e pedagógicas, ao menos durante um ano letivo, o futuro professor tinha essa disciplina integrada ao currículo. Vale lembrar que Rousseau esteve presente entre os conteúdos selecionados para compor o currículo, com certo destaque inclusive, dada a influência de suas ideias nos pedagogos e educadores de seu tempo e das épocas seguintes.

Fizemos, também, a análise dos livros didáticos utilizados por alunos e docentes dos cursos de formação de professores, tendo em vista o lugar que Rousseau ocupa nas obras de autores nacionais – Archêro Júnior, Afrânio Peixoto, Maria Lúcia de Arruda Aranha, Nelson e Claudino Piletti – e estrangeiros – Paul Monroe, Lorenzo Luzuriaga, Thomas Ranson Giles, Réne Hubert. Encontramos, geralmente, um Rousseau esfacelado, dividido em itens didaticamente construídos, por autores que, em sua maioria, simplificam seu pensamento. Fazem isso, por vezes, de modo até bastante reducionista, deixando de apresentar o sistema de educação completo proposto por Rousseau, bem como considerações importantes a respeito dos fundamentos de sua proposta pedagógica.

Outro aspecto que analisamos diz respeito aos depoimentos coletados em nossas entrevistas com egressos do antigo Curso Normal e da antiga Habilitação Específica para o Magistério sobre a vivência escolar nesses cursos. Descobrimos, então, que nenhum de nossos entrevistados, durante esses Cursos de Formação de Professores, leu Rousseau, nem mesmo o Emílio ou Da Educação, obra das mais conhecidas e divulgadas desse autor no meio educacional. Chegamos a supor, com base nos depoimentos analisados, que, talvez, nem os próprios professores que ministravam as aulas de História da Educação, e do tema por nós considerado – as ideias de Rousseau – tenham bebido na fonte as ideias do autor, uma vez que nenhum dos sujeitos entrevistados comentou algo significativo que demonstrasse esse fato.

Julgamos, então, que as sombras que envolvem a obra de Rousseau persistem e ele, autor incompreendido na íntegra até em seu próprio século, permanece ainda, em parte, desconhecido para a maioria dos educadores, no que tange ao real valor de seu ideário acerca da educação.

Apesar de tudo isso, encontramos um aspecto positivo nessa pesquisa. Rousseau foi parte integrante do conhecimento selecionado como importante e significativo, durante todo o período estudado, para a formação do futuro educador na disciplina de História da Educação, disciplina formadora e não de caráter prático.

Quanto a nós, quisemos revisitar Rousseau em nossa tese, um dos clássicos da educação e figura de fundamental importância para a formação do educador. Isso, principalmente, porque ele enfatizou não somente os aspectos amplamente divulgados de seu pensamento – tratar a criança como um ser diferente do adulto, desenvolver conteúdos de seu interesse e utilidade, proporcionar contato com a natureza, respeitar as etapas de seu desenvolvimento –, mas sobretudo pelo alcance moral de sua proposta pedagógica.

A grande importância de Rousseau reside na totalidade de sua obra, isto é, na análise que ele faz da condição humana e no fundamento da ética. O indivíduo é, pois, dotado de razão, mas as principais características do homem residem na perfectibilidade e na liberdade. É esse o grande abismo que separa os homens dos animais, e não apenas a razão: "O homem realmente livre só quer o que pode e faz o que lhe apraz. Eis minha máxima fundamental. Trata-se apenas de aplicá-la à infância, e todas as regras da educação vão dela decorrer".

A educação, para Rousseau, tem como meta a felicidade. Certamente não se trata da tal felicidade tão amplamente apregoada em nossos dias, a das realizações pessoais, do sucesso financeiro e profissional, mas da busca do equilíbrio através da liberdade e da autonomia. O indivíduo feliz é aquele que age segundo sua natureza – natureza humana guiada pela sua consciência – e não segundo seus próprios caprichos e vícios, ou ainda segundo os modismos de sua época.

O caráter essencial do pensamento de Rousseau está justamente na crença na bondade natural e, portanto, na perfeição de Deus, que é o fundamento de seu otimismo pedagógico. O indivíduo é composto por um corpo, que é puro instinto, e por uma alma, dotada de consciência, que tende ao bem, porque ama a justiça:

Dessa forma, a educação assume um caráter preventivo e não punitivo, com base em sua concepção de natureza humana livre e boa. Cabe ao educador preservar aquilo que a natureza deu de presente ao homem, não querer "estragar" o que já é bom. A criança equivale ao homem natural, que está centrado em si mesmo, e que ainda não se perverteu. É preciso que a educação forneça meios para que o indivíduo cresça, se desenvolva e aprenda de modo a preservar essa característica essencial. Para isso, basta seguir a "marcha da natureza". Entretanto, sabemos que, para ele, não se trata de uma tarefa fácil, pois é preciso saber ler no "livro da natureza", o "grande e sublime livro em que aprendo a servir e adorar seu divino autor".

A ação do educador é imprescindível para alcançar o êxito, mas é preciso exemplificar, isto é, só pode educar aquele que já alcançou a sua própria formação como ser moral.

Julgamos assim que, nos cursos de formação de professores, o conhecimento e a reflexão sobre essas ideias tão profundas sobre a essência do homem são de extrema relevância para a formação dos profissionais que deverão desempenhar um papel preponderante e decisivo na educação das crianças. De nada adianta conhecer e dominar técnicas e métodos de ensino, se o educador não tiver claramente dentro de si os objetivos e fundamentos da importante e perigosa tarefa a que se propõe. Mas constatamos que tais ideias, nem de longe, ficaram explícitas e claras na mente dos futuros educadores que tiveram um contato deformado com Rousseau.

É por isso que apresentamos, a seguir, a análise de pontos significativos para melhor conhecer Rousseau.

JUÍZOS A RESPEITO DE ROUSSEAU E SUA OBRA

Jean-Jacques Rousseau é um autor com diferentes interpretações e recepções por parte dos leitores, desde sua época até nossos dias. Isso tem acontecido, em grande parte, porque as pessoas o leem de modo superficial e incompleto e, por vezes, intencionalmente.

É preciso lembrar que o próprio Rousseau nos alerta sobre o perigo dos equívocos em relação a sua obra e dos juízos sobre sua pessoa. Rousseau deixa claro que suas ideias estão presentes em todos os seus escritos e que formam um todo orgânico, que existe uma lógica e uma unidade em seu pensamento e que tudo o que escreve em uma obra serve de auxílio para o entendimento de outra obra, para não ter de se repetir continuamente. Toda a sua obra está pautada por princípios únicos e forma uma teia extremamente articulada de ideias.

Certamente, Rousseau era e ainda é um autor polêmico e suas ideias não têm sido tratadas de forma pacífica. Entretanto, a abordagem de nossa análise visa delinear um panorama de seu pensamento que seja significativo para a fundamentação teórica do educador.

É, sobretudo, no livro Emílio ou Da Educação que encontramos os princípios básicos de seu ideal de educação. Aliás, essa é a preocupação de Rousseau na elaboração de tal obra e não no uso particular de suas ideias. O plano dos princípios, as máximas gerais, o verdadeiro conhecimento do coração humano são os temas que realmente são relevantes para o autor e ele próprio já nos apresenta essa questão no prefácio desse livro. Isso não quer dizer que sua obra seja pura teoria, desvinculada da realidade, uma utopia, mas, sim, uma meta a que se deve chegar o mais próximo possível, pois, Rousseau, ao considerar a educação uma arte, considera impossível chegar à perfeição.

Um pressuposto relevante, tão apregoado pelos escolanovistas e construtivistas, é o fato de Rousseau enfatizar sempre a necessidade de uma educação própria e adequada para cada criança ou jovem em particular, de acordo com suas características e necessidades.

Vemos, assim, que os autores que têm acusado Rousseau de apresentar uma teoria difícil de ser colocada em prática, que suas ideias são quimeras e fantasias, não o interpretaram bem. Seja por uma leitura superficial de seus textos, seja, o que é ainda pior, por discordarem de seus princípios, ao invés de argumentar contrariamente de modo válido, tentaram denegrir sua obra com tais críticas, distorcendo os argumentos. Cabe aqui ressaltar que a unidade do pensamento de Rousseau contida em seus escritos, atestada por ele mesmo, requer de todos nós, seus leitores, uma leitura atenta e cuidadosa.

Várias pessoas eminentes do Século das Luzes (séc. XVIII) escreveram textos que refutavam e condenavam o autor genebrino e sua obra. Entre eles, destacamos o Arcebispo de Paris, Christophe de Beaumont (1703-1781), que criticou e proibiu a leitura do Emílio a toda sua diocese e para quem Rousseau escreve uma carta minuciosa demonstrando o quanto foi difamado e seu pensamento, distorcido.

Outra figura ilustre do século XVIII, o filósofo iluminista Voltaire (1694-1778) fez chacotas de Rousseau, reportando-se ao homem natural do segundo Discurso como um animal. Também no teatro, Rousseau foi ridicularizado por Palissot, em 1750, por uma caricatura do homem selvagem, semelhante à de Voltaire. Na peça Les Philosophes (Os Filósofos), a personagem Crispin, que representava Rousseau, entrava em cena andando de quatro no chão, como se fosse um animal. Eram críticas ao postulado do homem natural, devidamente exposto no Discurso sobre o Origem e os Fundamentos da Desigualdade entre os Homens, chamado de o segundo Discurso.

A CONDIÇÃO HUMANA E A BONDADE NATURAL

O princípio geral, do qual decorre todo o pensamento de Rousseau, consiste na crença da bondade natural no homem, que ama a justiça e a ordem. Sendo assim, é preciso preservar o coração humano dos vícios, uma vez que "não existe perversidade original no coração humano".

Existe uma natureza humana que é boa, uma essência divina no homem. Dessa máxima decorrem as outras questões que se relacionam com a educação e, por conseguinte, com a política e com a moral.

Trataremos de quatro aspectos da pedagogia de Rousseau que exerceram grande influência nas propostas pedagógicas de seus seguidores e, também, porque foram alvo de questionamentos e apropriações diversas, apontando a pobre atitude de espírito com que esse autor tem sido lido e estudado e a consequência nefasta de tal reducionismo na formação da consciência histórica do futuro professor.

A bondade original do homem é decorrente do amor-de-si, responsável pela conservação do próprio homem e pela piedade, sentimentos de que é dotado o homem no estado de natureza. E, como no estado social essas disposições naturais se alteram, exacerba o amor-de-si, que se transforma em amor-próprio, e apresenta a atrofia da piedade. Como pode então o homem viver no estado social preservando suas disposições naturais, sua bondade natural? É só por intermédio da educação que se pode buscar a saída para tal impasse ou da formação de uma sociedade justa. Cabe à educação a tarefa de permitir ao indivíduo a formação do ser moral e o resgate da bondade do homem; essa tarefa é fundamental para fazer de Emílio (uma criança imaginada por Rousseau para servir de base para suas reflexões filosóficas e educacionais) um ser moral.

É por isso que a tarefa da educação é fornecer ocasião para que a obra da natureza se complete.

A EDUCAÇÃO PARA E NA LIBERDADE

Rousseau coloca o problema da educação do homem em termos de fins e de meios. Os fins estão ligados à ordem moral, à busca da felicidade. Por outro lado, os meios se referem ao respeito à natureza humana, à natureza infantil da criança, ao conhecimento do desenvolvimento psicológico do indivíduo, o qual, por sua vez, compreende três partes: a cognitiva, a sentimental e a moral ou volitiva.

O postulado de Rousseau sobre a bondade natural introduz este importante princípio da educação, da política e da ética: a "liberdade bem regrada".

O SENTIDO DO QUE SE ENSINA

Cumpre esclarecer que a liberdade, em Rousseau, é fator essencial no processo de educação e o adulto, o mestre, não deve fazer uso da tirania e da força, nem mesmo do constrangimento para com seu aluno. Sobre essa questão, há um exemplo numa das cenas pedagógicas do Emílio. Embora Rousseau afirme ao leitor que seu método é independente de seus exemplos, isto é, que seus exemplos não devem ser usados como modelos, mas, sim, como referência, uma vez que a aplicação de seu método pode variar muito, de acordo com as condições particulares a cada indivíduo, essas cenas são relevantes para o entendimento dos princípios de sua pedagogia. Dessa forma, a acusação que se faz a Rousseau, tanto no que se refere ao laissez-faire, isto é, a liberdade tida como o nada fazer do mestre, quanto ao que se refere a ver nele uma pedagogia totalitária cai por terra na cena pedagógica que descreveremos a seguir.

A cena, que está no Livro III, tem início numa reflexão que Rousseau faz demonstrando o princípio da utilidade do que se ensina à criança. Ela precisa sentir a necessidade real daquilo que vai aprender e cabe ao educador torná-la sensível a isso, mas nunca por intermédio de discursos e sermões, e, sim, com situações vivenciadas pelo aluno.

Rousseau relata ao leitor um estudo de astronomia – o curso do sol e a maneira de orientar-se – com Emílio. Este, logo de início, indaga sobre a utilidade desse estudo. O autor prossegue afirmando, ironicamente, que poderia fazer um longo e pedante discurso com inúmeros argumentos, discorrendo sobre as ciências. Esse seria um modo de o mestre exibir seus conhecimentos, sobretudo, se houvesse a presença de outras pessoas e, assim, a criança, mesmo sem nada entender, ficaria quieta por medo e fingiria entender a explicação. Mas seria inútil ao seu aluno.

Continuando a cena pedagógica, Rousseau fará de forma completamente diferente, porque Emílio não ouviria suas explicações e deixaria seu mestre discursando sozinho. Quando Emílio indaga ao mestre a respeito da utilidade de tal ensinamento, Rousseau não faz uma preleção verbal. Ao contrário, interrompe a atividade dando razão a Emílio, isto é, assume o fato de que o aluno não sentira a utilidade de aprender astronomia, e não toca mais nesse assunto. Entretanto, habilmente, constrói uma situação real, que possibilita a Emílio rever a sua consideração acerca do conhecimento da astronomia.

O mestre, então, propõe um passeio antes do almoço a Emílio, porque sabe que as crianças gostam de passear e durante o passeio eles parecem perdidos.

A necessidade faz com que Emílio se interesse em encontrar o caminho de volta para casa para poder matar a sua fome e ir ao encontro de seu almoço. Rousseau faz perguntas a seu aluno sobre a posição do sol, sobre observações feitas anteriormente da direção da sombra e dos pontos cardeais. Assim, o próprio Emílio descobre o caminho de volta para sua casa, com muito entusiasmo e alegria, porque finalmente poderá almoçar.

Em momento algum, nessa cena, existe coação ou humilhação da parte do mestre sobre a criança. Ao contrário, este se mostra solidário e, também, na mesma situação de impasse em que Emílio se encontra. Até mesmo no desfecho da história, o preceptor age de modo rotineiro e tranquilo, sem aproveitar a ocasião para lições verbais de moral. É Emílio quem deverá perceber e sentir a importância do estudo da astronomia para suas ações.

Em todo aprendizado de Emílio, mais do que o conteúdo das ciências, está presente a questão da ética, a verdadeira formação educativa. Nessa lição de astronomia, apesar de uma clara intervenção do preceptor, intervenção essa que requer paciência, habilidade e criatividade por parte do governante, a liberdade e a dignidade da criança não foram restringidas. O respeito, a amizade e o desvelo foram a mola propulsora da atuação pedagógica. Não houve imposição, autoritarismo, ironia na atitude de Jean-Jacques perante Emílio, assim como também não houve abandono, laisse-z-faire, por parte do mestre.

Aí está a importante característica do mestre dedicado e atento, que, apesar de possuir grande conhecimento dos conteúdos e experiência de vida, quer dar a seu aluno a oportunidade de construir sua própria experiência, acendendo nele a luz da sabedoria, sem ofuscá-lo com sua própria luz.

UM NOVO OLHAR PARA A INFÂNCIA

Não se pode deixar de atribuir a Rousseau a invenção, ou melhor, o reconhecimento e a constatação da existência de um período especial na vida do ser humano. É ele quem apresenta primeiro uma teoria da especificidade da infância. Existe, segundo Rousseau, uma natureza infantil diferente da natureza do adulto, que não é condicionada historicamente, mas representa a própria essência da infância.

Vários autores, entre eles, Georges Gusdorf, Frederick Eby, Franco Cambi, consideram Rousseau o Copérnico da Civilização Moderna e reconhecem o valor de suas ideias sobre a criança e o novo rumo para a educação. Ao analisar a capacidade cognitiva da criança, Rousseau admite que esse atributo do ser humano está em desenvolvimento e que difere da capacidade do adulto e que é preciso deixá-la agir para desenvolver suas aptidões.

É com cuidado especial por essa fase – e lembremos que na época de Rousseau a criança passava a infância em meio a castigos, reprimendas, punições e choros –, que ele põe em dúvida a validade desse tipo de educação, que sacrifica o presente por conta de um futuro incerto e que as atividades impostas às crianças, mesmo tendo um objetivo válido, são totalmente indevidas, porque ferem e agridem a verdadeira natureza infantil.

Dessa forma, a educação do Emílio terá sempre em vista a atividade da própria criança. O conhecimento adquirido deverá ser fruto da experiência e de sua curiosidade. Cabe ao educador apresentar problemas ao alcance da criança para que ela mesma os resolva, reinventando a ciência.

A IMPORTÂNCIA DA EDUCAÇÃO NEGATIVA

A proposta de educação de Rousseau, baseada na bondade original da natureza humana, introduz aspectos que merecem ser mais bem analisados. Todas as crianças são boas – não no sentido moral forte, pois ainda não têm a consciência da moralidade.

Cabe à educação colaborar com a natureza, dar continuidade à obra desta, mas sem contrariar sua marcha, pois essa ordem natural é boa em si mesma.

Para seguir a "marcha da natureza", Rousseau propõe a "educação negativa" para a infância até os 12 anos, pois "uma criança mal instruída se encontra mais longe da sabedoria do que aquela que não recebeu nenhuma instrução. Vós vos preocupais com a ver gastar seus primeiros anos em não fazer nada. Como! Ser feliz será não fazer nada? Não será nada pular, correr, brincar o dia inteiro?". Segundo ele, nosso pés, nossos mãos, nossos olhos são nossos primeiros professores de filosofia!

A "educação negativa", de modo algum é ociosa – como mal julgaram alguns leitores de Rousseau – e, também, não significa que o mestre nada tem a fazer. É preciso muitos cuidados do educador, longa observação a fim de que sua intervenção não seja danosa para a alma da criança. Trata-se de uma educação preventiva, preparando a criança para a formação moral.

Melhor seria, segundo Rousseau, deixar a criança na ignorância – própria do estado de natureza – do que encher sua cabeça com ideias e conhecimentos que deturpariam o verdadeiro propósito do saber, posto que era isso que acontecia na educação dada nos colégios de sua época.

O MESTRE EXEMPLAR

Deparamo-nos, em nossa pesquisa, ao analisarmos os livros didáticos em questão, com a figura de um mestre apático, fraco e sem ascendência sobre seu aluno. Enfim, nada mais distante do mestre tão preparado e competente, além de sensível e humilde que Rousseau diz ser necessário para a formação de um homem.

Sem dúvida alguma, a educação proposta por Rousseau só poderá concretizar-se pela atuação de um mestre extremamente hábil, dedicado e sensível.

Rousseau propõe então o ideal de preceptor, e tem a noção clara de que é pouco provável que se encontre esse indivíduo. Ao recusar a fórmula da época – uma educação de discursos e de contrariedades – alerta para que os mestres sejam virtuosos e bons e "que vossos exemplos se gravem na memória de vossos alunos até que possam entrar em seus corações". Ao invés de exigir da criança um gesto de caridade, o mestre deve ser seu exemplo exercendo, ele mesmo, a caridade. Dessa forma, uma ação, uma vivência, ensinará mais do que um dia inteiro de explicações.

É por essa razão que Rousseau critica o costume de seu tempo e adverte o educador sobre o modo adequado de tratar o aluno, não o humilhando, nem ridicularizando; ao contrário, elevando sua alma e fazendo dele seu igual.

O mestre exerce uma certa autoridade, um comando sobre seu aluno, mas no único interesse da criança ou do jovem. Essa autoridade está baseada na afeição e ternura, e o educador exerce o papel de guia e não de manipulador como nos atesta Trousson, pois a tirania do mestre é aviltante para seu aluno.

A tarefa de educar é das mais nobres e importantes para Rousseau. Além disso, a recompensa não está na remuneração, mas na própria admiração da obra terminada; ao contemplar o fruto de sua dedicação, o mestre do Emílio será tomado por um enlevo que fará inclusive palpitar seu coração, pois ele ajudou a escrever a história de seu pupilo.

A intenção deste artigo é, pois, recuperar a obra e a imagem de Rousseau, a fim de que se conheça de modo aprofundado seu ideário de formação do homem moral. Esse autor teve plena consciência da luta que travou contra seu século e afirmou claramente que sabia que sua reputação seria manchada por algum tempo, mas que, cedo ou tarde, seria reconhecido em sua franqueza e sua boa fé e almejava que sua memória fosse restabelecida dentro da honra e que sua obra pudesse ser útil.

Tudo o que Rousseau escreveu é fruto de ampla pesquisa e leituras, de atentas observações sobre o comportamento humano e de amplas reflexões sobre a alma humana, e, evidentemente, fruto de suas experiências. Sendo assim, julgamos muito importante beber na própria fonte desse autor tão fecundo, isto é, ler sua obra de forma sem espírito prevenido, porque, além das ideias e princípios tão relevantes e, em grande parte, extremamente oportunos e atuais que encontramos em seus escritos, igualmente estão presentes a fundamentação e o caminho por ele percorrido para desenvolver todo o seu ideário educacional, sobretudo àqueles que são ou serão os futuros mestres das crianças e dos jovens.

Percebemos, por intermédio de nossa pesquisa, que o retrato que se tem apresentado de Rousseau aos futuros professores é mera sombra distorcida de sua real figura. Esse fato implica consequências na questão da formação da consciência histórica desses indivíduos, formação essa muito comprometida, pois o ideário abrangente e suas amplas observações e argumentos têm sido desprezados na trajetória dos cursos de formação de professores por nós analisados. O professor perde a possibilidade de ser autor de sua própria prática pedagógica, porque lhe faltam os recursos necessários para a formação da consciência histórica que, segundo Hüsen, possui um caráter orientativo para as ações da vida humana.

Esse autor, tão conhecido por sua crença na bondade inerente ao homem, e por isso, na crença otimista no poder da educação, aparece-nos, como diz Dora Incontri, como um "cristão libertário", inspiração de teorias e práticas educativas até os nossos dias.

Ao concluir nossa pesquisa, apresentamos a proposta de que o Emílio ou Da Educação e as demais obras de Rousseau possam ser visitadas pelos atuais e futuros educadores, descobrindo o importante material para discussão e análise, aproveitando a contribuição de Rousseau para o desenvolvimento da educação e da formação da consciência histórica.

Certamente não podemos desprezar ou ignorar os tratados dos vários estudiosos e pesquisadores de Rousseau, porque nos auxiliam a compreender seu pensamento. Inúmeras são as obras e textos escritos com seriedade, mas só podemos finalizar este artigo recomendando, ao leitor, beber na fonte do próprio Rousseau para conhecer suas ideias e postulados filosóficos, que são ainda oportunos e atuais e, certamente, inspiração para todos os que se debruçarem sobre a obra fascinante desse escritor tão brilhante.

O legado - II

A EDUCAÇÃO PÚBLICA

por Robson Pereira Calça

A Polônia poderia vir a ser uma escola de política, liberdade e republicanismo; e sua escola, a maior lição de um conhecimento e de um ensino engajados com os fins políticos estabelecidos pelo Estado e suas engrenagens institucionais

Rousseau pode ser considerado como um autor dos mais multifacetados. Isto se deve à amplitude e profundidade de sua obra, mas também às crescentes especializações nas diversas áreas do conhecimento (cada qual com sua gama de textos específicos). Pedagogia, Direito, Ciências Sociais, Filosofia e tantos outros cursos universitários elegeram respectivamente a sua fatia da obra de Rousseau; cada área escolheu historicamente o seu recorte e o cristalizou, fazendo com que raramente duas obras distintas de Rousseau pudessem ser comparadas – e ambas mais bem compreendidas – em uma formação acadêmica regular.

Assim, ocorre com a parte educacional de sua obra algo inusitado: como o autor sistematizou no Emílio – um de seus mais vigorosos textos – seu pensamento sobre a educação doméstica (ainda que sob a égide dos valores republicanos e dos sentimentos naturais), as reflexões rousseaunianas sobre a educação pública têm sido ignoradas, talvez por se encontrarem dispersas em seus escritos.

Dois textos pouquíssimo lidos pelos estudantes em geral (isto é, por quem não é especificamente pesquisador em Rousseau) são precisamente aqueles em que o autor mais discorre sobre o tema da educação pública: trata-se do "Discurso sobre a Economia Política" e das "Considerações sobre o Governo da Polônia". O primeiro foi originalmente redigido como verbete da famosa Enciclopédia francesa do século XVIII (editada por Diderot e D'Alembert) e o último texto (as Considerações) é um conjunto de sugestões de Rousseau, apresentado à nobreza polonesa de então, que lhe houvera solicitado a proposição de um novo corpo de leis.

No verbete Economia Política da Enciclopédia o jovem Rousseau sustenta que a educação permanente dos cidadãos consiste em elemento estrutural de um Estado verdadeiramente republicano e desde então estabelece perfeita coerência entre os moldes da organização política e social deste Estado e os parâmetros de sua educação.

Já conhecido pelo Emílio e pelo Contrato Social, Rousseau alega aos poloneses não reunir conhecimentos suficientes sobre os seus costumes para se arvorar legislador da Polônia. Ele propõe, então, fundamentalmente uma alteração da mentalidade ou, por outra, uma mudança de princípios para o conjunto das instituições daquele país; e para esta reforma institucional a educação pública exerce um papel central, o qual abordaremos agora, não apenas por sua relevância para a compreensão do Rousseau educador, mas também devido à sua importância para a própria teoria política rousseauniana.

UMA ESCOLA PARA A POLÔNIA, UMA POLÍTICA PARA O ESTADO MODERNO

Há uma ironia na biografia de dois dos mais eminentes filósofos do século XVIII francês, Rousseau e Diderot: o primeiro oferece (em 1771) indicações para uma educação pública destinada aos poloneses, ao passo que o segundo, poucos anos depois (em 1773), projeta escolas públicas justamente para a Rússia, império parcialmente responsável por varrer a Polônia do mapa, em um processo de anexações e partilhas, que vai de 1772 a 1795 – e termina por decretar, juntamente com Áustria e Prússia, a dissolução da Polônia, que deixaria assim de existir enquanto unidade política por mais de um século.

Diderot redigiu as Memórias para Catarina II e o Plano de uma Universidade, mas a imperatriz russa, mesmo tendo solicitado as sugestões de Diderot, não se dispôs a realizar as propostas de reformas institucionais ali presentes. Quanto a Rousseau, ele também não pôde ver a execução de uma obra singular entre seus textos, justamente por se destinar à aplicação prática direta.

Rousseau escreve as Considerações para a Polônia enquanto o país encontra-se politicamente dividido: de um lado, um rei imposto por Catarina da Rússia (o rei Stanislas) e defendido pelo poder de seu império; e de outro, a nobreza insurreta em uma guerra patriótica. Exercendo há muito enorme influência na política interna da Polônia, o império russo enfrenta uma resistência bélica de parte daquela nobreza polonesa, que buscou também apoio no exterior, um deles o próprio Rousseau.

Destes acontecimentos podemos extrair algumas conclusões: trata-se de fenômeno idiossincrático da Filosofia do século XVIII francês, em primeiro lugar, a própria relação entre a Filosofia e as questões ligadas à coisa pública, tanto na esfera teórica, quanto em suas incursões na vida política europeia; e, em segundo lugar, a recorrência e a intensidade com que é atribuído ao Estado o papel de intermediador da relação que o homem, no âmbito coletivo, travará com o conhecimento e com a virtude.

Como em praticamente todos os intentos políticos e filosóficos do século XVIII, não se pode deixar de perceber no projeto rousseauniano a centralidade de dois conceitos: o de público e o de Estado. Tanto quanto liberdade e igualdade, no plano dos princípios, nenhum conceito representa melhor o Iluminismo, no plano da intervenção política, do que os conceitos de público e de Estado, não só pelo imenso legado que ambos deixaram na história política do Ocidente, mas também pela inversão de paradigmas com que atacaram as crenças e costumes que por toda a Idade Média sustentaram o Antigo Regime. Mais do que por qualquer outro, é pelos conceitos de público e de Estado que o pensamento iluminista busca deslegitimar os alicerces das relações feudais. Relações baseadas na desigualdade de nascimento; na distinção entre os direitos da aristocracia e do clero, não compartilhados com o Terceiro Estado (que constituía todas as demais camadas da sociedade).

Neste passo, a intervenção proposta por Rousseau não foge à regra, pois o que Rousseau espera, enquanto realização política, o espera através do Estado; ou, dito de outro modo, o Estado é a única instância pela qual podem ser realizados seus intentos políticos: seja a organização da estrutura estatal considerada como meio ou apenas como fim a ser alcançado.

Rousseau, todavia, não é um típico iluminista, pois em toda a sua obra defende uma associação entre ilustração e vício que o torna singular no seio do Iluminismo. Associação que refletirá diretamente sobre o caráter da educação que propõe ao Estado polonês. Desde o seu primeiro Discurso, o Discurso sobre as Ciências e as Artes, Rousseau estabelece relações intrínsecas entre ilustração e vício. Neste primeiro texto o autor já aponta que tais relações transcendem a coincidência histórica, que há entre estes dois fenômenos sociais, a saber, que invariavelmente a decadência moral acomete o povo que se instruiu; e, desta decadência, as marcas mais sublinhadas por Rousseau são a perda do caráter guerreiro e o desprezo pelo bem comum, por parte de todo o povo.

Em suma, segundo o autor, a História dos povos mostra que: 1. a instrução de um povo (ou de um grupo de homens no interior deste povo) é uma escolha política, sobretudo por suas consequências; e que 2. fazer tal escolha sempre implicou abrir mão de uma estreita ligação social entre os cidadãos, que, para Rousseau, é o que torna a vida política e, portanto, a liberdade civil possíveis. É devido a esta compreensão desfavorável do efeito das luzes sobre os povos que as cultivaram historicamente que, enfim, a educação pública em Rousseau, instituição política por excelência, empreende formar o cidadão para o exercício das virtudes cívicas, muito mais do que para o das ciências ou das letras.

Para Rousseau, faz-se bastante preferível formar homens zelosos por seus deveres do que homens eruditos, zelosos por suas distinções. Esta preferência traduz-se em sua recomendação de que tudo no conteúdo a ser ensinado pela escola pública polonesa deve dizer respeito à Polônia, pois importa menos que o aluno apreenda conhecimentos alheios e inúteis ao seu país do que apreender um espírito de irmandade com os seus concidadãos, ao mesmo tempo que desvenda o território, a história e os costumes que sustentarão tal relação de afeto e identificação.

O gosto pelas artes supõe o gosto pelo refinamento e este o gosto pela distinção. Faz-se necessário tornar-se mais brilhante que os demais homens das letras, através de uma competição que em nada os faz sentir irmanados por qualquer causa comum. Trata-se de um tipo de competição que desagrega até mesmo o grupo daqueles que em um Estado são privilegiados pela riqueza ou pelos títulos de nobreza – e que, além de supor este privilégio, promove a disposição dos homens para a sua perpetuação, o que, em outras palavras, significa que, historicamente, o grupo humano que se instrui reforça o gosto pela desigualdade entre os homens.

A instrução, entretanto, pode estar a serviço da liberdade, pois a escolha do objeto de instrução é uma escolha política e, para toda instrução que vislumbrou, Rousseau jamais se esqueceu de estipular como objeto central da mesma a consciência do indivíduo para com a sua dimensão coletiva e política.

Desse modo, assim como cabe ao preceptor do Emílio "despistar a natureza segundo as suas próprias direções", de maneira análoga deverão agir os professores poloneses, com a diferença de que estes terão como meta uma segunda natureza, que é aquela que se adquire quando se é membro de um corpo político que almeja a legitimidade. Quanto à estruturação deste corpo político e, em seu interior, a da educação pública, Rousseau considera não se poder abrir mão nem de certa habilidade no trato da arte política, que sabe escolher entre os indivíduos aqueles que apresentam as virtudes necessárias para a administração da educação pública, nem tampouco se pode prescindir de mecanismos institucionais, que, em última instância, são tão somente o que impede que aquela escolha seja baseada apenas no arbítrio de quem governa.

Assim procede, segundo Rousseau, o trato mais sábio da administração pública, pois, por mais que os princípios do direito tendam a depositar toda a sua força no império das leis, a primeira máxima da política rousseauniana consiste na prudência, uma vez que somente ela pode construir e fortificar aquele império da legitimidade; mas, se a prudência defendida por Rousseau não se aproxima da aristotélica, tampouco se trata de uma prudência ingênua, que confia mais nos papéis e suas deliberações frívolas do que na moralidade das relações humanas: "deve-se deixar de lado os registros e os papéis, e colocar [por exemplo] as finanças em mãos fiéis: é a única forma de serem regidas fidedignamente".

Assim, Rousseau chega a defender que a suprema administração polonesa deve ser quem "nomeia, revoga e muda a seu grado os diretores e professores" – seguindo, entretanto, o espírito da legislação e da educação pública consentânea a ela. Daí a confiança que, neste passo, Rousseau julga necessário depositar em que aqueles administradores da educação pública polonesa usarão como critério o mérito e o zelo dos professores para exercer todo esse poder, pois tais "magistrados encarregados de presidir a educação, que é certamente o assunto mais importante do Estado", apesar de quase que inevitavelmente pertencentes a um grupo (privilegiado) muito restrito da sociedade, nem por isso deverão ser escolhidos a esmo. Pelo contrário, seriam eles mesmos escolhidos – seja pelo governo, seja diretamente pelo próprio povo – com base no que Rousseau chama de "marcas da confiança pública", uma vez que o filósofo quer que também esta função, de magistrado da educação, e sobretudo esta, seja coroada como "o máximo de todas as honras, para aqueles que bem preencheram todas as outras" funções do Estado.

Apesar da vigilância dos superiores, Rousseau concebe uma carreira para o professor, baseada no mérito e na rotatividade dos cargos públicos. Deste modo, os professores que, segundo a legislação e a administração suprema, cumprirem com zelo e louvor a sua função galgarão empregos mais brilhantes, pois, declara Rousseau, nenhum outro emprego seria mais importante ou mais honroso do que o de professor; e aquele que bem cumprisse por alguns anos as suas funções poderia esperar tal promoção.

AS MARCAS DO MÉRITO

Mais do que encontrarmos uma (dentre tantas) origem da supervalorização retórica da função docente, este ponto da proposta de Rousseau nos revela pelo menos mais um elemento interessante. Os cargos públicos poloneses, e não só os que comporiam o, por assim dizer, sistema educacional, seriam preenchidos por critérios e mecanismos institucionais que, embora deixem ainda algo para a subjetividade e predileção de quem administra, elegem as marcas do mérito como fator decisivo para a escolha. Em outras palavras, podemos dizer que está e sempre esteve em pé o princípio rousseauniano de que os administradores devem sempre cumprir a lei, pois não é senão ao fazê-lo que devem exercer a prudência em toda a extensão da arte política

Cabe notar, todavia, que aquilo que Rousseau está aqui a chamar de mérito distingue-se substancialmente do uso que, por exemplo, Condorcet e Diderot dão a este termo em seus projetos educacionais (Condorcet será, por sua vez, alguns anos mais tarde, outro filósofo do XVIII francês a elaborar um amplo projeto de educação pública, desta vez para a própria França). Para Rousseau este "mérito" é antes um merecimento, cujo foco está muito mais no zelo do professor do que em seu brilhantismo intelectual; zelo que diz respeito antes à sua moralidade e à de seus resultados do que à erudição que porventura alcancem seus alunos.

Daí, explica-se o fato de Rousseau exigir que os professores sejam mais do que homens versados nas ciências que ensinarão, mas que também demonstrem indícios de serem homens honestos: propõe, por exemplo, que, na procura deste sábio honrado, busque-se um polonês casado. Polonês, pela educação para os costumes e o patriotismo; e casado por ser este, no parecer de Rousseau, um dos sinais que constituem um homem de bem. "Pode-se julgar a partir disso que não são os estudos ordinários, dirigidos por estrangeiros e padres, que eu gostaria de fazer as crianças seguir".

Diderot, ao planejar uma universidade para a Rússia, sente a necessidade de que este Estado encampe uma espécie de recrutamento entre os homens letrados de toda a Europa, oferecendo-lhes benefícios para a assunção do cargo de professor naquela universidade, tais como uma pensão vitalícia. Rousseau e Condorcet também pensam em uma espécie de aposentadoria para os professores, mas, dentre os três filósofos, o pensador genebrino é o único que vê com maus olhos o que os demais chamam de República das Letras; recusando-se peremptoriamente a tomar esta pseudorrepública como a salvação para uma república verdadeira, que, a despeito de suas imperfeições, Rousseau acredita possível edificar em solo polonês.

Os estrangeiros seriam excluídos de qualquer função na educação pública (e, a rigor, de qualquer cargo público) simplesmente porque, em última instância, não participam do pacto social; não é deles que para Rousseau se pode exigir um apego autêntico aos valores expressos pelos costumes e leis poloneses. Quanto aos padres, há uma razão um pouco mais complexa.

IGREJA VERSUS ESTADO

Seguindo a crítica hobbesiana ao potencial de dissolução da unidade civil inerente à Igreja, Rousseau rejeita o modelo dos colégios religiosos (na maioria das vezes jesuíticos), que, muito em voga na Europa do século XVIII, privilegiaria, por assim dizer, os mandamentos do céu e não os do solo pátrio. Mesmo que os interesses deste fossem considerados pelas iniciativas daquela educação religiosa, poderia ela no máximo camuflar os pontos em que a Igreja e o Estado discordam e, de fato, inevitavelmente promover uma espécie de divisão no coração dos cidadãos. Por exemplo, um lado poderia pregar a mansidão e o outro inspirar o ardor guerreiro.

As distinções, feitas por Rousseau em toda a sua obra, sobre a condição espiritual do camponês e a do habitante da metrópole terão consequências práticas evidentes para a educação estatal que o autor desenvolve, ou seja, a educação pública que Rousseau concebe para a Polônia está intimamente ligada às razões que sustentam suas pretensões de povoamento do interior desse país; com a formação de uma ligação visceral do homem com a sua terra e com os demais homens que a ela pertencerão.

Uma vez que a instituição escolar se configura como instrumento privilegiado para a persuasão da política estatal, tal como Rousseau a concebe, vê-se, desde já, que aquela ligação visceral será, portanto, a primeira lição da escola rousseauniana, pois as enormes aglomerações populacionais só interessam, segundo Rousseau, aos que mais querem dominá-las e privá-las de seus direitos, retirando-lhes sua conformação nacional, pela própria natureza não política das relações humanas que, segundo o autor, vigoram nas grandes cidades. Estas, sustenta Rousseau, são feitas para o comércio e não para a consolidação, a manutenção e a sacralização dos costumes – base da política rousseauniana.

Para o filósofo de Genebra, as grandes cidades produzem homens efeminados; e Rousseau não exorta poucas vezes o caráter masculino e viril de um povo verdadeiramente republicano, pois "que um monarca governe homens ou mulheres, isso lhe deve ser bastante indiferente, contanto que seja obedecido; mas, numa República, são precisos homens".

São várias as manifestações de Rousseau contrárias ao feminino, ao caráter efeminado dos costumes refinados, que devem ser extirpados do corpo político que se quer legítimo. Por isso não é de espantar que Rousseau sequer se coloque a questão de um ensino público feminino (no que diz respeito a quem aprende, mas também a quem ensina), uma vez que justamente tudo o que se relaciona a este feminino é não só rechaçado do Estado que, à Rousseau, almeja a liberdade (cujo povo quer respeitar um conjunto de normas legítimas), mas também tudo aquilo que se refere ao que Rousseau julga próprio ao feminino é tratado como paradigma definidor da ordem de coisas contrária à austeridade republicana.

AS MULHERES E A POLÍTICA

Com restrições e diferenças sensíveis quanto ao conteúdo, Condorcet defende o ensino público feminino; Diderot tampouco o rechaça, mas se manifesta contra o ensino misto e também defende aquelas restrições e diferenças. Em Rousseau esse tema sequer aparece, mas seus escritos, no Emílio e na Nova Heloísa, sobre a diferença moral entre o homem e a mulher e sobre a consequente dessemelhança dos seus deveres e dos usos que respectivamente lhes convém, sugerem que, para Rousseau, a honestidade que se quer fomentar em um Estado com valores severos não combina com a ideia de inserir as mulheres no mundo do poder e da política. Inserção esta que foi alvo de grande crítica de Rousseau em sua reprovação das práticas das cortes europeias (e do poder político erroneamente conferido a elas), seus vícios e corrupção, causados, segundo Rousseau, entre outras coisas, pela presença da mulher em um mundo que não lhe convém, e que convém ainda menos ao Estado: o mundo da política.

Rousseau defende a tese de que a natureza sugere à mulher um recolhimento e um recato muito maior do que ao homem e que, quando seus papéis naturais são confundidos, cria-se, por um lado, uma espécie de privatização da política, que, por deslocar-se da praça pública para os bastidores, torna-se necessariamente corrompida; e, por outro, retira do homem seu potencial político.

A consequência imediata desta crença rousseauniana é a ausência do elemento feminino, não só na educação pública, mas em toda a coisa pública. Assim, mais do que deveres alheios aos que são, no universo rousseauniano, próprios à dimensão do masculino e da política, a mulher terá, por consequência da especificidade daqueles deveres, uma educação que lhe é própria: uma educação necessariamente privada e doméstica. Apenas, entretanto, não deixemos de notar que, assim como "a casa dos romanos era sua escola", tal educação feminina, embora não almeje a vida pública (nem mesmo quando Rousseau eleva suas especulações quase a um Estado ideal), conterá os princípios das constituições natural, social e política que a condição feminina encerra, o que esclarecerá para aquela que é educada a justiça e a pertinência dos espaços reservados a ambos os sexos.

CARÁTER PEDAGÓGICO DA POLÍTICA

No arcabouço das propostas políticas de Rousseau, a necessidade de coesão social dita absolutamente todas as suas recomendações de ordem prática. Segundo o autor, não há outro meio, além daquela coesão (que faz com que os homens tenham "uma existência verdadeiramente comum" e que estejam "verdadeiramente ligados pela Lei"), para a liberdade civil tornar-se real. Nada mais a poderia realizar, posto que nada mais persuadiria os homens a um comportamento que a torne possível: o respeito absoluto às leis; à pátria; aos concidadãos e seus costumes.

Se são, então, necessárias, para qualquer aspiração de êxito no terreno da política (tal como vislumbrada por Rousseau), a criação e a manutenção desta existência comum, desta unidade espiritual entre os cidadãos de um mesmo corpo social e político, a própria política adquire assim um caráter pedagógico. Pedagógico no sentido rousseauniano, isto é, segundo aquele em que, por assim dizer, prescrevem-se lições aos sentidos e ao coração de quem se educa, tanto quando se busca construir e fortalecer aquela coesão, ainda precária, quanto quando o que se almeja é sustentá-la e perpetuá-la. Para ambos os casos Rousseau julga necessária a educação, pois "é a educação que deve dar às almas a forma nacional e dirigir de tal forma suas opiniões e seus gostos, que elas sejam patriotas por inclinação, por paixão, por necessidade".

Como para Rousseau não faz sentido almejar a liberdade civil abdicando-se do Estado (de seus recursos e meios de atuação), a educação que propõe para a construção e o fortalecimento da conformação nacional polonesa é a educação estatal. Enquanto a maioria dos ilustrados chefes de Estado europeus, desprezando os fins desta educação rousseauniana (patriotismo e total dependência mútua), sequer cogitam ter a educação pública como um meio para qualquer realização verdadeiramente coletiva, e ao contrário da própria formação que Rousseau pensa para o Emílio, que escolherá o Estado em que irá viver, a escola pública polonesa pensada por Rousseau não formaria homens cosmopolitas, formaria o justo oposto destes: poloneses, que só saberiam viver com o seu povo e para a sua pátria.

Notamos que mesmo a educação de Emílio não é precisamente voltada para a formação de um, por assim dizer, cidadão do mundo (embora assim se configure quando comparada aos valores da escola que Rousseau elabora para a Polônia), pois entendemos não ser por acaso que ao fim de suas viagens sua escolha seja a de sua terra natal; e que aquelas próprias viagens tivessem por intuito fundamentar esta escolha esperada.

Temos assim que, para Rousseau, não basta tão somente a instrução, é preciso que ela esteja envolta em um projeto de educação mais amplo – do qual, em última instância, a instrução e o letramento são apenas uma parte – onde figura no primeiro plano a formação para as virtudes cívicas, mesmo que não haja mais pátria para se submeter, pois diz o preceptor rousseauniano ao Emílio: "quem não tem uma pátria tem pelo menos um país. Há sempre um governo e simulacros de leis sob os quais ele viveu tranquilo". Por isso, para Rousseau, a instrução poderá, sem nenhum prejuízo aos fins da nação, ser ministrada no seio familiar, ao contrário da educação, de que Rousseau não abre mão, como instrumento privilegiado do Estado.

Como consequência desta distinção, notamos, por fim, a extrema importância que Rousseau confere à presença do exercício corporal na educação: "é sobretudo por causa da alma que é preciso exercitar o corpo e eis o que os nossos sabiozinhos estão longe de ver". Sempre que Rousseau tratou do tema educacional, seja no Emílio, na Nova Heloísa ou nas Considerações sobre o Governo da Polônia, a recomendação de uma disciplina que privilegia os exercícios físicos faz-se presente e por várias razões diferentes; a maioria, diríamos hoje, de cunho estritamente pedagógico.

APROVAÇÃO PÚBLICA

Contudo, a formação de uma constituição robusta, tornar os jovens ágeis e atléticos, "acostumá-los desde cedo à regra, à igualdade, à fraternidade, às competições, a viver sob os olhos de seus concidadãos e a desejar a aprovação pública," são de fato as razões que Rousseau defende com maior afinco para a construção de uma educação pública para um Estado que reúne as condições para a liberdade e que talvez traga consigo a grandeza de se querer livre e republicano, aos moldes de Rousseau. Tais razões – que não se iludem com o brilho e as ostentações das luzes – mais se aproximam da seara da teoria política rousseauniana e, segundo esta, poderiam fazer da Polônia uma escola de política, liberdade e republicanismo; e de sua escola, a maior lição de um conhecimento e de um ensino engajados com os fins políticos, patrióticos, estabelecidos pelo mais legítimo palco da teoria política rousseauniana: o Estado e suas engrenagens institucionais.

Eis a esperança e a escola de um autor amplo (sujeito a uma diversidade de análises, em relação às quais esta se apresenta); autor que, aderindo a ideais, próprios do Iluminismo, de liberdade e superação de iniquidades e preconceitos oriundos do antigo regime, não deixou de contestar profundamente paradigmas fundamentais, sobejamente presentes nas vozes vindas daquele movimento setecentista – tais como o significado político do conhecimento na relação entre o homem e sua História, e entre o Estado e seus cidadãos.

O legado - III

HOMEM, MORAL E DESIGUALDADE

por Manoel Dionizio Neto

Mesmo desconhecendo o que seja o bem, o homem age moralmente quando, movido pelos princípios da moral natural – O amor de si e a piedade –, faz o bem para toda a espécie

Dentre as obras deixadas por Jean-Jacques Rousseau, encontra-se o Discurso sobre a Origem e os Fundamentos da Desigualdade entre os Homens. Nela, procuramos situar o ser humano em termos de moralidade. Mas não se trata de pensá-lo conforme o conhecemos hoje, no mundo da civilização. Rousseau, com este Discurso, quis responder à seguinte pergunta: "Qual é a origem da desigualdade entre homens, e é ela autorizada pela lei natural?". Esta pergunta foi apresentada por uma Academia Francesa, conhecida como Academia de Dijon, que lançara um concurso de ensaio, em 1753, tendo como tema a desigualdade. E Rousseau, ao responder a questão, tomou como referência o ser humano em sua origem. Assim, buscando comparar o que se sabe hoje do homem em sociedade com o que foi em um estado de natureza, ele pôde refletir sobre um ser humano desvestido de todos os preconceitos e vícios, próprios do homem contemporâneo, que vive em meio à corrupção humana que conhecemos.

Esse concurso promovido pela Academia de Dijon fora antecedido por outro, em 1749, em que o próprio Rousseau foi vencedor, um ano depois, isto é, em 1750. Nesse primeiro concurso de ensaios, a referida Academia quis saber se as ciências e as artes estavam ou não contribuindo para a melhoria dos costumes. Como resposta, Rousseau respondeu que não: o avanço das ciências e das artes contribuiu muito mais para afastar o ser humano da virtude e aproximá-lo cada vez mais dos vícios, fazendo dele um ser preconceituoso e corrompido. Assim, no Segundo Discurso, como ficou conhecido o ensaio com que participou do concurso, ele voltou-se muito mais para esta questão da moralidade, quando pensou no significado da desigualdade entre os homens, procurando uma razão para ela. Com vistas à resposta por ele apresentada à questão proposta pela Academia, buscamos agora refletir sobre o que se pode dizer sobre a moral de um ser humano que desconhecia a virtude e os vícios.

No "Prefácio" ao Discurso, Rousseau chama a atenção, primeiro, para a necessidade de o homem conhecer-se a si mesmo. Vemos aqui a sua preocupação em relação ao conhecimento que precisamos ter de nós mesmos. Com essa preocupação, estava retomando os ensinamentos de Sócrates, filósofo grego que viveu entre os anos de 469 a 399 a.C., sendo o primeiro a dar uma significação moral para o termo virtude. Ele insistia em dizer: "Conhece-te a ti mesmo". Com isso, queria que cada um de nós buscasse conhecer o que há de mais universal em nós mesmos, sendo isto o que nos faz verdadeiramente seres humanos. Rousseau, portanto, adverte-nos para esta necessidade de conhecimento do homem, ignorada há muito pelos homens, mesmo quando esses procuram avançar em temos de conhecimento.

Mas, ainda no "Prefácio" de sua obra, Rousseau se voltou também para a desfiguração a que chegou o ser humano. Trata-se aqui de pensar no que ocorreu com este ser humano ao sair de um estado de natureza, em que vivia isento de toda e qualquer maldade, mesmo desconhecendo a bondade ou a virtude, para um estado civil, onde está mergulhado nas mais diferentes formas de corrupção. Esse mergulho nas corrupções colocou o ser humano muito distante daquilo que ele foi em sua origem, tornando-se assim quase impossível reconhecê-lo conforme à natureza. É o que o próprio Rousseau nos diz ao afirmar que graças a "milhares de causas sempre renovadas, pela aquisição de uma multidão de conhecimentos e de erros, pelas mudanças que se dão na constituição dos corpos e pelos choques contínuos das paixões", o homem mudou tanto de aparência que se tornou "quase irreconhecível". Em seguida, faz um paralelo entre o homem e o animal, para dizer das suas semelhanças e diferenças. E não só constata o fato de que, por conta dessas mudanças, o ser humano, ao invés de "agir sempre por princípios certos e invioláveis", encontra-se face ao "contraste disforme entre a paixão que crê raciocinar e o entendimento delirante", mas também diz o autor que há, nos animais, "algo de nossa natureza".

Possuindo os animais "algo de nossa natureza", há de se perguntar se os animais participam do mesmo direito natural de que participa o homem. Rousseau diz que sim. Esta afirmação se tornou necessária "devido à sensibilidade de que são dotados". Sendo o ser humano também animal, é igualmente dotado desta sensibilidade, tornando-se a partir disto obrigado a certos deveres para com eles, o que implica em direitos que eles têm devido a sua constituição natural. Assim, homens e animais, todos igualmente seres sensíveis, são por isso semelhantes quanto à sensibilidade, de onde provém o reconhecimento dos direitos naturais para qualquer um deles. Isto nos permite compreender o que Rousseau quer nos dizer, ao afirmar isto: "Parece, com efeito, que, se estou obrigado a não praticar qualquer mal para com meu semelhante, é menos por ser ele um ser razoável do que por ser um ser sensível, qualidade que, sendo comum ao animal e ao homem, pelo menos deve dar a um o direito de não ser maltratado inutilmente pelo outro".

Partindo-se do entendimento de que constitui a moral um conjunto de normas, princípios e valores que os seres humanos elegem para si mesmos (e também para os outros), para que se torne viável o convívio entre si, há de se perguntar pela possibilidade de uma moral, quando pensamos o ser humano vivendo isolado, não tendo ainda a necessidade do outro. Pensamos assim considerando a descrição que Jean-Jacques Rousseau faz do homem natural, conforme o exposto no Discurso sobre a Origem e os Fundamentos da Desigualdade entre os Homens. Seria assim possível avaliar a moral de alguém que ainda não tem consciência dos direitos e dos deveres? Seria possível definir a moralidade para quem ainda não sabe o que são as virtudes e os vícios?

AMORALISMO INTEGRAL

No estado de natureza, segundo Rousseau, o ser humano desconhece os valores. Não há uma convivência social para que se pense na necessidade de regulamentação do comportamento no sentido de que se possa garantir o respeito ao outro, deixando espaço para cada um se firmar como um ser autônimo e moral. O homem encontra-se nesse estado em sua condição animal, diferenciado-se dos outros animais apenas pela liberdade e a perfectibilidade. É preciso, portanto, buscar naquilo que pode ter sido seu comportamento nesse estado, para que se afirme algo a respeito de uma possibilidade moral em seu caráter o mais natural possível. Isto significa falar de elementos que expressam a possibilidade de uma moralidade, quando princípios se estabeleçam para dizer do certo e do errado no convívio com os outros homens, e mesmo com a natureza em geral, destacando-se aqui toda normatividade a que se pode chegar a respeito da regulamentação do comportamento humano com vistas não somente aos outros de sua espécie, mas a todos os demais seres sensíveis, estando entre estes os animais de outras espécies. Trata-se assim de elementos que apontam para a possibilidade de afirmação do direito natural, que não se restringe a uma convenção humana, mas que tem por base o que é inerente à natureza de todo ser sensível.

Refletindo sobre o fato de não conhecer os valores no estado de natureza – o que é o mesmo que dizer do não conhecimento das virtudes e dos vícios – estamos chamando a atenção para a ausência de uma moralidade nesse estado. Mas, por outro lado, conforme estamos dizendo aqui, a ausência de uma moralidade para o homem natural não impediu de se ter, hoje, no estado civil uma moralidade que tem origem no que já estava posto no homem do estado de natureza, que guardava em si mesmo a necessidade de conservação e bem-estar da espécie, ao mesmo tempo que se compadecia do sofrimento dos outros seres igualmente sensíveis, sobretudo quando se tratava daquele de sua própria espécie. Isto expressa a bondade natural do homem, corrompida no estado civil.

Para chegar a esse entendimento, Rousseau traça um perfil do homem do estado de natureza, considerando todo seu despojamento, seja este dos dons sobrenaturais ou das faculdades artificiais. Segundo Rousseau, se considerarmos este ser humano conforme saiu das mãos da natureza, convencemo-nos de que ele pode ter recebido esses dons sobrenaturais, assim como pode ter adquirido essas faculdades artificiais por meio dos progressos efetivados ao longo de muitos anos. Mas é preciso considerar também o fato de que, sendo ele assim concebido no estado de natureza, isto é, em toda sua nudez, não poderia ser visto senão como "um animal menos forte do que uns, menos ágil do que outros, mas, em conjunto, organizado de modo mais vantajoso do que todos os demais". Assim, poderia ser visto "fartando-se sob um carvalho, refrigerando-se no primeiro riacho, encontrando seu leito ao pé da mesma árvore que lhe forneceu repasto e, assim, satisfazendo a todas as suas necessidades". Já aqui fica subentendido o fato de que se trata de um ser solitário que, como diz o próprio Rousseau logo depois, estava habituado a enfrentar as intempéries da atmosfera desde a infância, experimentando desde aí toda fadiga enquanto ia defendendo a vida e a prole, "nus e sem armas", "contra as outras bestas ferozes", tendo que "escapar correndo", o que o fez adquirir "um temperamento robusto e quase inalterável".

Nesse comportamento se evidenciava toda inocência do homem natural. No seu cotidiano, estava posta apenas a necessidade de sobrevivência, seja a própria ou da prole. O que era o bem e o que era o mal? Mesmo procurando se defender das feras, mesmo que contra estas lutasse nu e sem armas, não havia a consciência do que poderia ser bom ou mau para si ou para sua espécie, a não ser o medo da dor, ao lado da necessidade de nutrição, procriação e repouso. O Ato de alimentar-se, assim como a prática sexual ou mesmo o sono, não lhe pareciam como bens ou males a seres perseguidos ou afastados. Em meio ao puro sentimento, não havia lugar para o sentimento de culpa ou a necessidade de respeito ao outro, uma vez que se tratava de coisas que lhe eram desconhecidas. Assim, essas coisas, visadas pelos seus desejos, ou de que se afastava movido pelo medo, não poderiam entrar na esfera da moralidade. Não poderiam ser comparadas com as virtudes ou com os vícios. Isso fazia do homem natural um ser integralmente amoral, cabendo-lhe apenas em termos de moralidade os instintos de conservação e de compaixão.

O INSTINTO DE CONSERVAÇÃO DE SI MESMO E A PIEDADE NATURAL

Compete, então, ao homem o dever de reconhecer o direito natural de todo animal. Nisto está incluso ele próprio. E, com este entendimento, pode-se estender o direito natural a todos os animais, e não somente ao ser humano. Todavia, a consciência deste direito, que implica dever, é restrita ao homem. Mas, no estado de natureza, não conhecendo ainda as virtudes e os vícios, não era de se esperar uma consciência desse direito e, portanto, deste dever para com o seu semelhante, fosse ele da sua espécie ou não. Isto ratifica a existência de um princípio que, segundo Rousseau, é anterior à razão, e que inspira repugnância naquele que vê o sofrimento de um ser sensível, principalmente se ele for seu semelhante.

Ao lado desse princípio, um outro, que também antecede a razão, volta-se para o nosso bem-estar e a nossa conservação. Chama-o Rousseau de amor de si. O ser humano tende naturalmente a defender a sua espécie, ao tempo em que defende o seu bem-estar, dando-se, inclusive, à luta pela sobrevivência sua e a dos seus, como se pode ver na luta que é travada pela mãe em defesa da sua prole, concorrendo assim "para a conservação mútua de toda a espécie". É este amor de si, conforme diz o próprio Rousseau na Carta a Christophe de Beaumont, "a única paixão que nasce com o homem", sendo, pois, "uma paixão em si mesma indiferente ao bem e ao mal; que ela só se torna boa ou má por acidente e segundo as circunstâncias em que se desenvolve".

Essa paixão que nasce com o homem, e que se estabelece como condição para que este busque a defesa de si mesmo e da sua espécie, aparece como princípio de conservação natural, anterior a toda razão, e se firma instintivamente. Isto nos permite compreendê-lo como instinto natural de conservação que fora denominado pelo próprio Rousseau de amor de si. Somos levados a pensar sobre este instinto, que se firma como o primeiro princípio de uma moral natural, quando somos chamados à atenção para o seguinte: "O homem encontrava unicamente no instinto todo o necessário para viver no estado de natureza; numa razão cultivada só encontra aquilo que necessita para viver em sociedade". A partir deste entendimento Rousseau entendeu que "os homens nesse estado de natureza, não havendo entre si qualquer espécie de relação moral ou de deveres comuns, não poderiam ser nem bons nem maus ou possuir vícios e virtudes, a menos que, tomando estas palavras num sentido filosófico, se considerem como vícios do indivíduo as qualidades capazes de prejudicar sua própria conservação, e virtudes aquelas capazes de em seu favor contribuir, caso em que se poderia chamar de mais venturosos àqueles que menos resistissem aos impulsos simples da natureza".

Fica subentendida nessas palavras a indicação de um princípio moral que aponta para o bem e para o mal, se consideradas sob o ponto de vista filosófico as qualidades que possam prejudicar a conservação da espécie ou que possam contribuir para que se torne possível esta conservação. Neste caso, o indivíduo humano seria tanto mais venturoso quanto mais resistisse aos impulsos naturais.

Partindo desse entendimento, Rousseau se coloca em posição contrária à que fora professada por Thomas Hobbes. Para este, não tendo o ser humano consciência da bondade, seria, no estado de natureza, naturalmente mau. Não concordando com isto, Rousseau pôde acrescentar também outro equívoco de Hobbes, quando este vendo os defeitos das definições do direito natural, chegou a uma conclusão também falsa, considerando a consequência tirada da sua própria definição. Para isto se valeu Hobbes de um equívoco a respeito do princípio de conservação: ao invés de pensar naquele estado em que seria mais propício à paz por se tratar daquele em que mais se cuidava da nossa conservação, compreendeu que o princípio de conservação consistia na "necessidade de uma multidão de paixões que são obra da sociedade e que tornaram as leis necessárias". Conforme nos diz o próprio Rousseau em "Nota" ao seu Discurso, Hobbes esteve com isto confundindo o amor de si com o amor-próprio, que se estabelece a partir do advento da sociedade: "Não se deve confundir o amor-próprio com o amor de si mesmo; são duas paixões bastante diferentes tanto pela sua natureza quanto pelos seus efeitos. O amor de si mesmo é um sentimento que leva todo animal a velar pela própria conservação e que, no homem dirigido pela razão e modificado pela piedade, produz a humanidade e a virtude. O amor-próprio não passa de um sentimento relativo, fictício e nascido na sociedade, que leva cada indivíduo a fazer mais caso de si mesmo do que de qualquer outro, que inspira aos homens todos os males que mutuamente se causam que constitui a verdadeira fonte da honra".

No Emílio, Rousseau retoma a questão do amor de si, para dizer que ele "é sempre bom e sempre conforme à ordem". A isto acrescenta que cada um de nós deve ter como "o primeiro e o mais importante de todos os cuidados" o de se voltar de uma forma contínua para a sua conservação, uma vez que cada um de nós está encarregado dela. Assim, segundo Rousseau, não deve confundi-lo com o amor-próprio, uma vez que, entre eles, há uma diferença fundamental que se pode compreender a partir do seguinte: "O amor de si mesmo, que só a nós diz respeito, satisfaz-se quando nossas necessidades estão satisfeitas; mas o amor-próprio, que se compara, nunca está satisfeito e não o poderia estar, porque tal sentimento, em nos preferindo aos outros, exige também que os outros nos prefiram a eles; o que é impossível. Eis como as paixões ternas e afetuosas nascem do amor a si mesmo, e como as paixões odientas e irascíveis nascem do amor-próprio".

Por esta diferença fica evidenciado o fato de que não se pode pensar em maldade humana ou corrupção no estado de natureza, se pensamos um ser que se preocupa, antes de tudo, com a sua conservação, sem levar isto para a necessidade de defender apenas seus interesses pessoais, conforme se faz quando se tem uma sociedade em que se funda o amor-próprio. É neste sentido que Rousseau apresenta o amor de si como primeiro princípio da moral natural. Isto, no entanto, não quer dizer que se possa falar de moralidade no estado de natureza. Mas, considerando o que representa este princípio para a formação humana em geral, há de se pensar que a moralidade que conhecemos na sociedade tem sua base no princípio de conservação. O mesmo podemos afirmar a respeito da piedade natural. Esta, que serve de apoio ao amor de si, se expressa todas as vezes que não queremos o sofrimento do outro.

Estamos assim diante do segundo princípio da moral natural. E penso que esta piedade, juntamente como amor de si e o amor--próprio, está na base da formação humana que encontramos, seja no estado de natureza ou no estado civil. Assim não seriam se não fossem princípios da moralidade natural, excetuando-se apenas o amor-próprio que somente encontramos com o surgimento da sociedade. Mas, se falamos de amor de si, repito o que escrevi em Educação e Liberdade em Jean-Jacques Rousseau, "deparamo-nos com a piedade, como um sentimento natural que antecede a razão, tanto quanto o amor-de-si". A isto acrescento que é pela "piedade que podemos compreender o sofrimento dos outros, de forma que somos levados por ela ao socorro dos que vemos sofrer", e cito o próprio Rousseau. "Certo, pois, a piedade representa um sentimento natural que, moderando em cada indivíduo a ação do amor de si mesmo, concorre para a conservação mútua de toda a espécie. Ela nos faz, sem reflexão, socorrer aqueles que vemos sofrer; ela, no estado de natureza, ocupa o lugar das leis, dos costumes e da virtude, com a vantagem de ninguém sentir-se tentado a desobedecer à sua doce voz; ela impedirá qualquer selvagem robusto de tirar a uma criança fraca ou a um velho enfermo a subsistência adquirida com dificuldade, desde que ele mesmo possa encontrar a sua em outra parte; ela, em lugar dessa máxima sublime da justiça raciocinada – Fazer a outrem o que desejas que façam a ti –, inspira a todos os homens esta outra máxima de bondade natural, bem menos perfeita, mas talvez mais útil do que a precedente – Alcança teu bem com o menor mal possível para outrem. Numa palavra, antes nesse sentimento natural do que nos argumentos sutis deve procurar-se a causa da repugnância que todo homem experimentaria por agir mal, mesmo independentemente das máximas da educação".

O MENOR MAL POSSÍVEL

Com essas palavras, o próprio Rousseau está assinalando a identificação desta piedade como princípio de moralidade natural. Por um lado, seguindo a determinação desta piedade, o ser humano, mesmo no estado de natureza, é levado a fazer a outrem somente aquilo que deseja que seja feito a si mesmo, convertendo-se este mandamento assim: "Alcança teu bem com o menor mal possível para outrem", o que é válido para a fundamentação moral de que carecem os homens em seu convívio social, quando, levados por princípios e normas, são forçados a refletir com vistas ao bem-estar de todos e, portanto, à conservação da espécie, o que se busca pelo amor de si e pela piedade, sem reflexão, no estado de natureza. Nisto vemos a relação que se pode fazer entre o homem e a moral, ainda no estado de natureza, mesmo quando concebido em sua amoralidade integral. Esta relação a que me refiro aqui fica subentendida nas palavras do próprio Rousseau na sua Carta a Christophe de Beaumont, quando afirma o seguinte: "O princípio fundamental de toda a moral, sobre o qual refleti em todos os meus escritos, e que desenvolvi neste último [Emílio] com toda clareza de que era capaz, é que o homem é um ser naturalmente bom, que ama a justiça e a ordem; que não há nenhuma perversidade originária no coração humano, e que os primeiros impulsos da natureza são sempre corretos".

Não seria possível imaginar a moral no estado social sem que houvesse essa bondade natural expressa por esses princípios que, por um lado, são aqui compreendidos como princípios da moral natural e que, por outro lado, servem de base para se pensar o direito natural, consagrado não só ao ser humano, mas também aos animais em geral. E não seria possível conceber a moral que estivesse associada a alguma maldade. Assim, diferente do homem moral da nossa sociedade, o homem moral do estado de natureza, segundo Rousseau, além de não vincular-se ao mal, era também indiferente ao bem, sendo a isto levado pelo amor de si, podendo daí afirmar na Carta a Christophe de Beaumont: "Mostrei que todos os vícios que se imputam ao coração humano não lhe são em absoluto naturais; mostrando como, por uma contínua deterioração de sua bondade originária, os homens se tornam, enfim, o que são".

O HOMEM MORAL DO ESTADO DE NATUREZA

A partir dessa reflexão que fazemos sobre o amor de si e a piedade natural como princípios da moral natural, pensamos no homem moral do estado de natureza, que se converte no homem moral que conhecemos devido à instituição da sociedade. Mas, se pensamos no estado de natureza, encontramos a amoralidade que faz de todas as paixões a simples busca da realização de seus desejos naturais que se dão por satisfeitos com a alimentação, o amor físico e o repouso. Orientando-se à realização de todos esses desejos pelo amor de si e pela piedade, o que implica dizer que, querendo a conservação e o bem-estar da sua espécie, tem a compaixão pelo sofrimento do outro, de modo que a comida, o sexo e o sono são suficientes para atender as exigências de suas paixões. Cabendo ao homem do estado civil perguntar pela regulamentação daquilo que lhe é de direito conforme a determinação da natureza, tornando-se assim compreensível a necessidade de legislação que o convívio social impõe.

Ao refletirmos sobre essas condições em que se encontrava o ser humano no estado de natureza para se firmar como ser moral, mesmo quando sabemos da sua amoralidade, damo-nos conta de que Rousseau contrapõe-se também a um entendimento geral e comum, historicamente conhecido, que somente se faz possível falar de bondade humana quando se tem a observância do bem e do mal. Dito com outras palavras, convencionou-se acreditar que o homem moral tem consciência dos vícios e das virtudes, tornando-se desejável que se faça das virtudes, hábitos. Mas, contrariando este entendimento, Rousseau está nos dizendo, em seu Discurso, que é possível, sim, ser bom ou mau, sem para isto ser necessário o conhecimento das virtudes e dos vícios ou mesmo sem a existência do que se pode conhecer como virtude ou vício. Com isto, segundo Allan Bloom, Rousseau se coloca "na fonte da tradição que substitui a virtude e o vício como as causas de o homem ser bom ou mau, feliz ou desgraçado, formando pares opostos como sincero/insincero, autêntico/inautêntico, dirigido por dentro/dirigido por fora, eu real/eu alienado". É o que ocorre com o ser humano no estado de natureza. Mesmo desconhecendo o que seja o bem, age moralmente quando, movido pelos princípios da moral natural – o amor de si e a piedade –, faz o bem para toda a espécie, o que significa dizer que tem o cuidado de lutar pela conservação de si mesmo e de todos os seres sensíveis, o que fica subentendido não só pela defesa do bem-estar e da conservação da espécie humana, mas também pela compaixão, ao se compadecer do sofrimento de todo ser sensível.

Fundando-se nisso a moral do homem no estado de natureza – como possibilidade de fazer o bem sem o saber, isto é, sem consciência do que poderia ser o bem ou o mal -, o homem, no estado de natureza, não poderia ser compreendido de outra forma senão como um ser naturalmente bom, o que não foi compreendido pelos opositores ou mesmo inimigos de Rousseau. Estes, confundindo o amor de si como o amor-próprio, confundiram também o homem do estado de natureza com o que conhecemos no estado civil. No estado de natureza, o homem ainda não dispõe de consciência para fazer comparações, não podendo, por isso, saber o que é melhor ou pior. Daí a afirmação de Rousseau em sua carta a Christophe de Beaumont: "Nesse estágio o homem conhece apenas a si mesmo, não vê seu bem-estar com estando em oposição ou em conformidade ao de mais ninguém. Ele não odeia nem ama nada; limitado unicamente ao instinto físico, ele é nulo, é estúpido – foi isso o que mostrei em meu Discurso sobre a Desigualdade".

Isso se explica, segundo Rousseau, pelo fato de ser o homem constituído de duas substâncias, a saber: o corpo e a alma. O amor de si, não sendo uma simples paixão, funda-se em dois princípios, que são: o ser inteligente e o ser sensível. Para cada um desses princípios corresponde um bem-estar. Para o ser sensível, está o apetite que conduz o homem ao bem-estar do corpo; mas, para o ser inteligente, está o amor pela ordem, que conduz o homem ao bem-estar da alma. Quando este amor pela ordem se desenvolve, o homem toma consciência de si mesmo, fazendo comparações e, por isso, tomando consciência de suas relações. Isto ocorre quando os homens lançam os olhos sobre os seus semelhantes, o que lhes permite "perceber suas relações e as relações entre as coisas, a apreender as ideias de adequação, de justiça e de ordem. A beleza moral começa a tornar-se sensível para ele e a consciência age". É aí que, segundo Rousseau, o homem adquire virtudes, mas também adquire vícios na medida em que seus interesses se conflitam, despertando-se sua ambição em conformidade com o progresso de suas luzes. Daí se fazer possível falar de um homem moral no estado civil, diferentemente daquele homem moral do estado de natureza, que, ao contrário do homem civil, tem sua moral fundada na inocência que expressa toda amoralidade do estado de natureza.

Excertos

DO SUJEITO AO CIDADÃO: PEDAGOGIA E POLÍTICA*

por Carlota Boto

A formação ética deve ser capaz de transformar todo sujeito no cidadão da sociedade do novo contrato. Em toda a obra rousseauniana, política e pedagogia caminham juntas

O pensamento político de Rousseau alicerça sua reflexão pedagógica. Quanto aos progressos da razão, Rousseau pensa diferente de seus contemporâneos. Julga que a civilização, tal como ela caminhava, não aprimorava, mas corrompia os costumes. Isso porque – dirá Rousseau – o estado civil que retirou o homem do mundo da natureza pautava-se exclusivamente na defesa do direito irrestrito de propriedade. Cumpria, portanto, estabelecer um novo contrato social, que viesse a refundar a vida civil. O novo pacto asseguraria direitos e seria ancorado na ideia de virtude. Os escritos pedagógicos de Rousseau são fundamentais para compreendermos o que o autor entende por natureza humana. A construção do Emílio toma por hipótese a convicção de que a infância recupera características que teriam sido aquelas do homem no estado natural. O desenvolvimento do menino Emílio tomará como critério a formação ética de um sujeito capaz de se tornar o cidadão da sociedade do novo contrato. Em toda a obra rousseauniana, política e pedagogia caminham juntas. É o que demonstram os trechos abaixo selecionados, extraídos de alguns dos principais escritos rousseaunianos.

* Parte do texto aqui apresentado integrou a tese de Livre Docência da autora, publicada pela editora UNESP sob o título: "Instrução Pública e projeto civilizador"

DISCURSO SOBRE AS CIÊNCIAS E AS ARTES (1750)

"Antes que a arte polisse nossas maneiras e ensinasse nossas paixões a falarem a linguagem apurada, nossos costumes eram rústicos, mas naturais, e a diferença dos procedimentos denunciava, à primeira vista, a dos caracteres. No fundo, a natureza humana não era melhor, mas os homens encontravam sua segurança na facilidade para se penetrarem reciprocamente, e essa vantagem, de cujo valor não temos mais noção, poupava-lhes muitos vícios.

Atualmente, quando buscas mais sutis e um gosto mais fino reduziram a princípios a arte de agradar, reina entre nossos costumes uma uniformidade desprezível e enganosa, e parece que todos os espíritos se fundiram num mesmo molde: incessantamente a polidez impõe, o decoro ordena; incessantamente seguem-se os usos e nunca o próprio gênio. Não se ousa mais parecer tal como se é e, sob tal coerção perpétua, os homens que formam o rebanho chamado sociedade, nas mesmas circunstâncias, farão todos as mesmas coisas desde que motivos mais poderosos não os desviem. Nunca se saberá, pois, com quem se trata: será preciso, portanto, para conhecer o amigo, esperar pelas grandes ocasiões, isto é, esperar que não haja mais tempo para tanto, porquanto para essas ocasiões é que teria sido essencial conhecê-lo.

Que cortejo de vícios não acompanha essa incerteza! Não mais amizades sinceras e estima real; não mais confiança cimentada. As suspeitas, os receios, os medos, a frieza, a reserva, o ódio, a traição esconder-se-ão todo o tempo sob esse véu uniforme e pérfido da polidez, sob essa urbanidade tão exaltada que devemos às luzes de nosso século. Não mais se profanará com juramentos o nome do senhor do universo, mas será ele insultado com blasfêmias, sem que nossos ouvidos suscetíveis se ofendam com isso. Não se enaltecerá o próprio mérito, mas se rebaixará o de outrem. De modo algum se ultrajará grosseiramente o inimigo mas jeitosamente o calaremos. Extinguir-se-ão os ódios nacionais, mas com eles irá o amor à pátria. A ignorância desprezada será substituída por um pirronismo perigoso. Haverá excessos proscritos, vícios desonrados, mas outros serão honrados com o nome de virtudes; impor-se-á tê-los ou afetar tê-los. Elogiará, quem desejar, a sobriedade dos sábios de hoje; quanto a mim, não vejo nisso senão um rebuscamento da intemperança, tão indigno de meu elogio quanto a simplicidade artificiosa de tais sábios" (Discurso sobre as Ciências e as Artes. Trad: Lourdes Santos Machado. In: Rousseau, J-J. Rousseau. 3ª ed. São Paulo: Abril Cultural, 1983 (Os Pensadores), p. 336).

DISCURSO SOBRE A ORIGEM E OS FUNDAMENTOS DA DESIGUALDADE ENTRE OS HOMENS (1755)

"Eis, pois, todas as nossas faculdades desenvolvidas, a memória e a imaginação em ação, o amor-próprio despertado, a razão em atividade, e o espírito que quase atingiu o termo de perfeição de que é suscetível. Eis todas as qualidades naturais postas em ação, a condição e a sorte de cada homem estabelecidas, não somente sobre a quantidade de bens e o poder de servir ou de causar danos, mas sobre o espírito, a beleza, a força ou a habilidade sobre o mérito ou os talentos, e sendo essas qualidades as únicas capazes de atrair a consideração, logo foi preciso tê-las ou afetá-las; para benefício próprio, foi preciso mostrar-se outro do que se era na realidade. Ser e parecer tornaram-se duas coisas completamente diferentes, e dessa distinção surgiram o fausto imponente, a astúcia enganadora e todos os vícios que compõem o seu cortejo" (Discurso sobre a Origem e os Fundamentos da Desigualdade entre os Homens. Trad. Iracema Gomes Soares e Maria Cristina Roveri Nagle. Brasília/São Paulo: UNB/Ática, 1989, pp. 96-97).

"O primeiro que, tendo cercado um terreno, arriscou-se a dizer: 'isto é meu', e encontrou pessoas bastante simples para acreditar nele, foi o verdadeiro fundador da sociedade civil. Quantos crimes, guerras, mortes, misérias e horrores não teria poupado ao gênero humano aquele que, arrancando as estacas ou tapando os buracos, tivesse gritado a seus semelhantes: 'fugi às palavras desse impostor; estareis perdido se esquecerdes que os frutos pertencem a todos, e que a terra não é de ninguém'. Entretanto parece que as coisas já haviam chegado ao ponto de não mais poder continuar como estavam; pois essa ideia de propriedade, dependendo de muitas ideias anteriores que não puderam nascer senão sucessivamente, não se formou repentinamente no espírito humano. Foi preciso fazer muitos progressos, adquirir muita indústria e saber transmiti-los e aumentá-los de geração em geração, antes de se atingir esse último estágio do estado de natureza. Afastemo-nos, pois, no tempo, para retornar às coisas, e tratemos de reunir sob um único ponto de vista essa lenta sucessão de acontecimentos e conhecimentos em sua ordem mais natural" (Idem, p. 84).

DISCURSO SOBRE ECONOMIA MORAL E POLÍTICA (1755)

"Todas as vantagens da sociedade não são para os poderosos e os ricos? Todos os empregos lucrativos não são ocupados apenas por eles? Todos os favores, as isenções não lhes são reservados? E a autoridade pública não está sempre a seu favor? Se um homem de consideração roubar seus credores ou fizer outras trapaças, não está ele sempre seguro de sua impunidade? As pauladas que distribui, as violências que comete, até as mortes, os assassinatos dos quais é culpado não são casos sempre atenuados, e dos quais não se fala mais ao final de seis meses? Se este homem for roubado, logo a polícia se põe em ação, e coitados daqueles que forem suspeitos! Se ele passa por um lugar perigoso, eis a escolta que o acompanha. Se o eixo da roda de sua carruagem se quebra, todo mundo voa para socorrê-lo. Se fazem barulho à sua porta, basta uma palavra sua e todos se calam; se a multidão o incomoda, ele faz um sinal e tudo se ajeita; se um carroceiro fica em sua passagem, as pessoas quase chegam a espancá-lo; e prefere que sejam esmagados cinquenta pedestres honestos indo para seu trabalho a que um patife ocioso chegue atrasado com sua comitiva. Todos estes cuidados não lhe custam um tostão; eles são o direito do homem rico, e não o preço da riqueza. Como é diferente o quadro do pobre! Quanto mais a humanidade lhe deve, mais a sociedade lhe recusa: todas as portas lhe são fechadas, mesmo quando tem o direito de mandar abri-las; e, se alguma vez obtém justiça, é com mais dificuldade do que o outro obteria favores. Se há um trabalho penoso a fazer, uma milícia a ser recrutada, é a ele que se dá preferência; sempre carrega, além da própria carga, aquela da qual seu vizinho rico tem o prestígio para se livrar; ao menor acidente que lhe acontece, todos se afastam; se sua pobre charrete é derrubada, longe ser ajudado por alguém, fica feliz se, ao passar, evita as afrontas dos empregados levianos de um jovem duque. Numa palavra, toda assistência gratuita lhe escapa na necessidade, precisamente porque ele não tem com que pagá-la; e se tiver a infelicidade de ter uma alma honesta, uma filha amável e um vizinho poderoso, estará perdido.

Uma outra coisa na qual se deve prestar bastante atenção é que as perdas dos pobres são muito mais difíceis de serem reparadas do que as do rico, e que a dificuldade de adquirir cresce na proporção da necessidade. Não se faz nada com o nada; isto é verdadeiro nos negócios tanto quanto na física; o dinheiro é semente de dinheiro, e a primeira moeda algumas vezes é mais difícil de ganhar do que o segundo milhão. Há mais ainda: tudo o que o pobre paga está para sempre perdido para ele, e permanece ou retorna às mãos do rico; e, como o produto dos impostos cai, mais cedo ou mais tarde, apenas nas mãos dos homens do governo ou dos que se aproximam dele, os ricos, mesmo pagando sua parte, têm um interesse sensível em aumentar estes impostos.

Resumamos em poucas palavras o pacto social das duas situações. Tendes necessidade de mim, pois sou rico e sois pobre; façamos pois um acordo entre nós: permitirei que possais ter a honra de me servir, com a condição de que dar-me-eis o pouco que vos resta, pelo trabalho que terei em vos comandar." ("Economia Moral e Política". In: Diderot, D.; D'Alembert, J. Le R. Verbetes Políticos da Enciclopédia. São Paulo: Unesp, pp. 119-120).

DO CONTRATO SOCIAL (1762)

"Encontrar uma forma de associação que defenda e proteja a pessoa e os bens de cada associado com toda a força comum, e pela qual cada um, unindo-se a todos, só obedece contudo a si mesmo, permanecendo assim tão livre quanto antes. Esse, o problema fundamental cuja solução o contrato social oferece.

As cláusulas desse contrato são de tal modo determinadas pela natureza do ato, que a menor modificação as tornaria vãs e de nenhum efeito, de modo que, embora talvez jamais enunciadas de maneira formal, são as mesmas em toda a parte e tacitamente mantidas e reconhecidas em todos os lugares, até quando, violando-se o pacto social, cada um volta a seus primeiros direitos e retoma sua liberdade natural, perdendo a liberdade convencional pela qual renunciara àquela.

Essas cláusulas, quando bem compreendidas, reduzem-se todas a uma só: a alienação total de cada associado, com todos os seus direitos, à comunidade toda, porque, em primeiro lugar, cada um dando-se completamente, a condição é igual para todos, e, sendo a condição igual para todos, ninguém se interessa por torná-la onerosa para os demais" (Do Contrato Social. Trad. Lourdes Santos Machado. In: Rousseau, J-J. Rousseau. 3ª ed. São Paulo: Abril Cultural, 1983 (Os Pensadores), pp. 32-33).

"DISSERTAÇÃO APRESENTADA AO SENHOR DE MABLY SOBRE A EDUCAÇÃO DO SENHOR SEU FILHO" (1740)

"Eu não posso me decidir a passar para outro assunto sem lhe confessar, Senhor, o quanto me parece insensata e ridícula a maneira pela qual as pessoas se arranjam para ensinar as Crianças. Fazem-nas perder três ou quatro anos a compor terríveis Versões, quando estão bem certos de que elas não encontrarão, duas vezes em sua vida, a oportunidade de escrever em Latim. Ensinam-lhes, em seguida, a fazer Amplificações, isto é, após lhes darem um pensamento de um Autor, mandam estragá-lo, alongando-o com o maior número de palavras inúteis que possam achar. Exercitam-nas muito sobre a história Grega e Romana e deixam-nas na mais crassa ignorância sobre a história de seu país, ensinam a elas o pior Francês, contanto que falem bem o Latim. Falam-lhes de um Deus em três Pessoas, das quais nenhuma é a outra e cada uma é entretanto o mesmo Deus; do mistério da Eucaristia, onde um espaço de cinco pés está contido num espaço de duas polegadas; do pecado original, pelo qual somos punidos muito justamente, pelas faltas que não cometemos; da Eficácia dos sacramentos, que operam virtudes na Alma, por intermédio de uma aplicação puramente corporal; todos assuntos sobre os quais a melhor cabeça não tem força suficiente para conceber coisa alguma; numa palavra, ao mesmo tempo em que começam a cultivar sua razão, obrigam-nas a fazer, a todo momento, exceções das mais estranhas contra suas noções mais evidentes e, por cúmulo, sobrecarregam-nas com uma multidão de preceitos áridos e estéreis, concebidos em termos cuja construção mesma não está ao seu alcance; em compensação, não lhes dizem nada, nem dos princípios do Cristianismo, nem dos fundamentos da Moral, deixam-nas na mais crassa ignorância sobre os deveres gerais da Humanidade e creem operar maravilhas, acostumando-as a considerar, como Monges imbecis, a vontade de seus Mestres como a única regra da virtude" ("Dissertação Apresentada ao Senhor de Mably sobre a Educação do Senhor seu Filho". In: Nacarato, Priscila Grigoletto (apresentação e tradução). Ensaios Pedagógicos. Bragança Paulista: Comenius, 2004, pp. 23-24).

EMÍLIO OU DA EDUCAÇÃO (1762)

"Já vejo o leitor assustado com julgar essa criança pelas nossas: engana-se. O constrangimento perpétuo em que conservais nossos alunos irrita sua vivacidade; quanto mais comedidos perante vós, mais serão turbulentos quando escaparem; cumpre que se compensem quando puderem da dura opressão em que os tendes. Dois escolares da cidade farão mais estrepulias numa região que a meninada de toda a aldeia. Encerrai um burguesinho e um camponesinho num quarto; o primeiro terá tudo derrubado e rebentado antes que o segundo tenha mexido. Por que isso, se não porque um terá pressa em abusar de um momento de licença enquanto o outro, sempre seguro de sua liberdade, nunca se apressará em usar dela? Contudo, os filhos dos aldeões, amiúde lisonjeados ou contrariados, ainda se acham longe do estado em que desejo que os mantenham" (Emílio ou Da educação. Trad. Sérgio Milliet. Rio de Janeiro: Difel, 1979, p. 78).

"O mesmo instinto anima as diversas faculdades do homem. À atividade do corpo, que procura desenvolver-se, sucede a atividade do espírito que busca instruir-se. A princípio as crianças são apenas turbulentas, tornam-se curiosas depois; e essa curiosidade bem dirigida é o móvel da idade a que chegamos. Distingamos sempre as inclinações que vêm da natureza das que vêm da opinião. Há um ardor de saber que assenta unicamente no desejo de ser considerado sábio; há outro que nasce da curiosidade natural ao homem por tudo o que pode interessar de perto ou de longe. O desejo inato do bem-estar e a impossibilidade de contentá-lo plenamente fazem com que procure sem cessar novos meios de alcançá-lo. Tal é o primeiro princípio da curiosidade; princípio natural ao coração humano e cujo desenvolvimento só ocorre em proporção de nossas paixões e de nossas luzes.

[...] Tornai vosso aluno atento aos fenômenos da natureza, muito breve o tornareis curioso. Mas, para alimentar sua curiosidade, não vos apresseis nunca em satisfazê-la. Ponde os problemas ao seu alcance e deixai que os resolva. Que nada saiba porque vós lho disseste, e sim porque o compreendeu sozinho. Que ele não se avizinhe à ciência, que a invente. Se jamais substituirdes em seu espírito a autoridade à razão, ele não raciocinará mais; não será mais do que o joguete da opinião dos outros.

Quereis ensinar-lhe a geografia e ides procurar globos, esferas, mapas: quanta estória! Por que todas essas representações? Por que não começais mostrando o próprio objeto a fim de que ele saiba, ao menos, de que lhe falais?" (Idem, pp.174-175).

"Embora o pudor seja natural na espécie humana, as crianças não o têm naturalmente. O pudor só nasce com o conhecimento do mal; e como as crianças que não o têm, nem o poderiam ter, teriam o sentimento que dele resulta? Dar-lhes lições de pudor e de honestidade é ensinar-lhes que há coisas vergonhosas e desonestas, é dar-lhes um desejo secreto de conhecer essas coisas. Cedo ou tarde elas o saberão e a primeira fagulha que toca a imaginação acelera necessariamente a efervescência dos sentidos. Quem quer que enrubesça já é culpado; a verdadeira inocência não tem vergonha de nada" (Idem, p. 238).

"Acreditaríeis, meu bom amigo, que dessas tristes reflexões, dessas contradições aparentes, se formaram em meu espírito as sublimes ideias da alma, que não tinham até então resultado de minhas pesquisas? Meditando sobre a natureza dos homens, acreditei descobrir nela dois princípios distintos, um dos quais a elevava ao estudo das verdades eternas, ao amor à justiça e ao belo moral, às regiões do mundo intelectual cuja contemplação faz as delícias do sábio, e outro que o diminuía baixamente dentro de si, escravizava-o ao império dos sentidos, às paixões que são seus ministros e contrariava, através delas, tudo o que lhe inspirava o sentimento do primeiro. Sentindo-me arrastado, combatido por esses dois movimentos contrários, eu me dizia: não, o homem não é um: quero e não quero, sinto-me ao mesmo tempo escravo e livre; vejo o bem, amo-o e faço o mal; sou ativo quando ouço a razão, passivo quando minhas paixões me dominam; e meu pior tormento, quando sucumbo, é sentir que teria podido resistir" (Idem, pp. 315-316)

DISCURSO SOBRE ECONOMIA MORAL E POLÍTICA (1755)

"É desde o primeiro momento da vida que se deve aprender a viver, e, como ao nascer passamos a participar do direito dos cidadãos, o instante de nosso nascimento deve ser o começo do exercício de nossos deveres. Se há leis para a idade madura, deve haver também leis para a infância, que ensinem a obedecer os outros; e como não se deixa a razão de cada homem ser o único árbitro de seus deveres, muito menos se deve abandonar às luzes e aos preconceitos dos pais a educação de suas crianças, já que ela importa ainda mais ao Estado do que aos pais. Pois, segundo as leis da natureza, a morte do pai lhes tira frequentemente os últimos frutos desta educação, mas a pátria cedo ou tarde sentirá seus efeitos; o Estado permanece, a família se dissolve. Os pais não terão motivo para se queixar à autoridade pública, ao assumir seu lugar e encarregar-se desta importante missão, adquirem seus direitos cumprindo seus deveres, pois, neste caso, os pais na verdade apenas trocam de nome, e terão em comum, sob o nome de cidadãos, a mesma autoridade que exerciam sobre seus filhos sob o nome de pais, e não serão menos obedecidos falando em nome da lei do que eram falando em nome da natureza. A educação pública fundada em regras prescritas pelo governo e pelos magistrados estabelecidos pelo soberano é, pois, uma das máximas fundamentais do governo popular ou legítimo. Se as crianças são educadas em comum no seio da igualdade, se são imbuídas das leis do Estado e das máximas da vontade geral, se são instruídas a respeitá-las acima de todas as coisas, se são cercadas de exemplos e de objetos que sem cessar lhes falam da mãe Terra que as alimenta, do amor que tem por elas, dos bens inestimáveis que dela recebem e do retorno que lhe devem, não duvidemos de que aprenderão assim a gostar uns dos outros como irmãos, a nunca querer a não ser o que a sociedade quer, a substituir o estéril e inútil balbuciar dos sofistas por ações de homens e de cidadãos e a se tornar um dia os defensores e os pais da pátria da qual foram filhas durante tanto tempo" (("Economia Moral e Política". In: Diderot, D.; D'Alembert, J. Le R. Verbetes Políticos da Enciclopédia. São Paulo: Unesp, pp. 105-106).

Bibliografia comentada

UM CONVITE À AÇÃO

Por Priscila Grigoletto Nacarato

A obra de Rousseau é um apelo à liberdade e à solidariedade e impulsiona cada um de nós a nos confrontarmos com a nossa essência, com a nossa condição humana e a assumirmos as responsabilidades de nossos próprios atos

A obra de Jean-Jacques Rousseau é uma obra viva, atual, de inesgotável riqueza, inspiração marcante desde sua época até os nossos dias. É bastante vasta, não só no que tange ao número de livros e textos, mas, sobretudo, à multiplicidade de gêneros e temas por ele abordados, mantendo coerência, unidade e rigor. Há ensaios literários, obras de política, escritos sobre a língua, música, teatro e botânica, textos históricos e científicos, escritos autobiográficos, óperas e outras peças musicais. Uma dessas belíssimas peças musicais – O Adivinho da Aldeia (1752) – serviu de inspiração para uma composição de Mozart que, aos 9 anos (1765), assistiu a uma encenação dessa ópera, em Paris.

É por esse motivo que, ao apresentarmos as obras de Rousseau (em ordem cronológica), teremos de selecionar as mais importantes do ponto de vista de seu pensamento e da influência exercida em seu próprio tempo e até nossos dias. Trousson considera Rousseau "um homem de atualidade perpétua", e, outro estudioso de sua obra, Jacques Berchtold, atesta que sua obra permanece sempre um "enigma aberto".

Rousseau teve uma experiência de aproximadamente um ano, em Lyon, como preceptor dos filhos do Sr. Jean Bonnot de Mably (1696-1761), um nobre francês, irmão de homens ilustres: o abade de Mably (1709-1785) e o abade de Condillac (1715-1780).

Para exercer tal função, Rousseau redigiu uma "Dissertação Apresentada ao Sr. de Mably sobre a Educação do Senhor seu Filho" e uma versão mais curta desse mesmo texto, o "Projeto para a Educação do Senhor de Sainte-Marie" (ambas de 1740).

O texto destina-se, assim, a discutir a educação de dois filhos sendo o mais velho, François-Paul-Marie, de 5 anos e meio, chamado Sainte-Marie (devido ao nome de uma propriedade da família em Forez) e o outro, Jean-Antoine Bonnot de Mably, de 4 anos e meio, conhecido por Condillac (por causa de uma outra propriedade da família, perto de Montélimar).

Assim, o texto apresentado é um projeto de educação para essas crianças nobres, cujo caráter e temperamento Rousseau observa atentamente. Nele, discute princípios e ideias a respeito da educação, dispensando receitas ciosas de práticas educacionais. O que pretende alcançar é, antes, a educação de homens perfeitos, formando-lhes o coração, o juízo e o espírito. Para isso, propõe uma ligação entre os estudos literários, históricos e científicos; discorre sobre a coerência na educação, a autoridade necessária ao preceptor e os conteúdos a serem desenvolvidos ou suprimidos (livros a serem lidos etc.).

Já nesse projeto, Rousseau denuncia a insuficiência de uma formação exclusivamente intelectual e fora do alcance de uma mente ainda infantil, mostrando a sensibilidade, que veremos aprofundar-se no Emílio, para com as etapas do desenvolvimento da personalidade.

A ILUMINAÇÃO DE VINCENNES

Rousseau estava caminhando de Paris a Vincennes (ia a pé para não gastar dinheiro) para visitar seu amigo Diderot (1713-1784), que estava preso por causa de uma publicação, levando consigo o último exemplar do Mercure de France. Como fazia muito calor, Rousseau sentado embaixo de uma árvore leu a pergunta proposta pela Academia de Dijon: se o progresso das ciências e das artes tinham contribuído para aprimorar os costumes. Nesse momento, relata Rousseau, vislumbrou um mundo de ideias – e segundo ele, não escreveu a quarta parte do que intuiu – e toda a obra que iria produzir além de ter ficado bastante emocionado. Quando voltou a si, estava suado e banhado em lágrimas. Ali mesmo escreveu a prosopopeia Fabricius, e, chegando em casa, escreveu o Discurso sobre as Ciências e as Artes (1750), conhecido como o primeiro Discurso, respondendo negativamente a essa questão e discorrendo sobre os males da civilização. Ele fere o espírito de seu século ao se opor a todos os que atestam a fé no progresso das luzes, entre eles Voltaire (1694-1778), ao afirmar que os fatos revelam que esse progresso vem sempre acompanhado da decadência dos costumes. Com esse discurso, Rousseau obtém o prêmio da Academia de Dijon, a fama e a celebridade. Nesse texto, ele já denuncia uma educação deficiente e inadequada à formação do homem (moral e virtuoso), educação essa que "orna o espírito e corrompe o julgamento".

A BONDADE DO HOMEM NATURAL

A Academia de Dijon oferece nova oportunidade para Rousseau desenvolver e divulgar seu pensamento filosófico, político e ético ao enunciar a dupla questão: "Qual é a origem da desigualdade entre os homens, e se ela está autorizada pela lei natural?".

Para responder a essa indagação, Rousseau redige o Discurso sobre a Origem e os Fundamentos da Desigualdade entre os Homens (1755), o segundo Discurso. Apesar de não ganhar o prêmio da Academia, esse discurso exerceu uma influência marcante e provocou inúmeras discussões não só entre os pensadores, mas também entre o grande público. Nessa obra, Rousseau aprofunda as conclusões de seu primeiro Discurso e coloca em causa o princípio da propriedade, sobre o qual repousam as sociedades modernas. Ele contrapõe a ideia da bondade natural do homem à injustiça da sociedade contemporânea e traça a história hipotética do homem, da origem ao presente.

Convém ressaltar que não se trata de uma história dos fatos estabelecidos sobre o homem natural ou o homem primitivo histórico, pois ele já estaria corrompido, isto é, teria sua verdadeira natureza (sua essência) alterada pelo estado de sociedade. Quando Rousseau se refere ao "homem natural" (dotado do amor-de-si e da piedade), ele faz alusão a um estado anterior à própria História. Não é dos livros que foram escritos pelos homens que ele retira seus argumentos, nem tampouco dos fatos históricos, mas, sim, do "livro da natureza". E não se trata, de forma alguma, de um apelo à volta do homem ao estado natural, mas buscar conhecer a alma humana na "simplicidade celeste e majestosa com a qual seu autor a tinha marcado".

Num século em que se louva a razão como fator preponderante de distinção entre o homem e os animais, Rousseau deposita na moralidade a verdadeira característica dessa distinção. Não é a razão, mas, sim, a consciência, por meio da faculdade da perfectibilidade, que eleva o homem a uma categoria diferente da dos outros animais.

A TRILOGIA

Em apenas quinze meses, Rousseau publica três obras – A Nova Heloísa (1761), Emílio ou Da Educação e O Contrato Social (ambas de 1762) –, consideradas como um conjunto único que forma a base de seu pensamento. Nelas, o autor propõe, respectivamente, uma concepção mais natural da família, os princípios de uma educação conforme a natureza e uma concepção de sociedade justa.

O ideal doméstico

A Nova Heloísa é um belo romance epistolar que prega os benefícios de um retorno à vida natural – e não primitiva – e os ideais morais de Rousseau. Nele estão expostos os mais diferentes temas que sempre ocuparam o seu pensamento: o elogio à vida simples, a crítica à vida em sociedade e aos homens artificiais em suas máscaras, o elogio à virtude, entre outros.

O romance escrito por Rousseau está dividido em seis partes. Na primeira parte, as cartas versam sobre o amor de Julie e Saint-Preux e sobre o erro por ele cometido. Em Clarens, uma pequena cidade dos Alpes, um jovem plebeu que é preceptor de Julie e de sua prima Claire, Saint-Preux, declara seu amor a Julie. Ela tenta afastar-se dele, mas acaba cedendo-lhe. Nem Claire, nem o amigo de Saint-Preux, Milorde Edouard, conseguem que o pai dela, o barão d'Étanges, aceite essa união, pois ela está prometida a seu amigo, o Sr. de Wolmar.

As cartas da segunda parte tratam da estada de Saint-Preux em Paris. Este parte para lá com Milorde Edouard e escreve cartas desesperadas à sua amada. Julie se recusa a fugir para a Inglaterra numa propriedade de Milorde Edouard ao encontro de seu amado e Saint-Preux tece considerações sobre a vida parisiense. Mas a mãe de Julie descobre em Clarens as cartas de Saint-Preux.

Na terceira parte, a mãe de Julie morre e esta, atormentada pelo remorso, cede à vontade do pai, rompendo com Saint-Preux e casando-se com o Sr. de Wolmar. Milorde Edouard impede Saint-Preux de se matar e para tentar esquecer-se dela, faz uma viagem ao redor do mundo.

Seis anos se passam e, na quarta parte do romance, Julie vive em paz em Clarens com seu marido e seus filhos, mas confessa seu segredo ao marido. Saint-Preux, ainda apaixonado, anuncia sua volta e o Sr. de Wolmar o convida a Clarens para tentar curá-lo. A vida em comum organiza-se em mútua confiança. Durante uma ausência do Sr. de Wolmar, os dois amantes, por um instante, são tentados a reatar seu relacionamento.

Na quinta parte, a vida em comum toma novamente seu rumo com a volta do Sr. de Wolmar. Claire, agora viúva, instala-se em Clarens. Um único elemento de discórdia é o fato de Julie ser crente e o Sr. de Wolmar, cético. As vindimas acontecem num clima de festa. Saint-Preux, durante uma viagem com Milorde Edouard, tem um sonho que o inquieta muito. Ele parece não rever Julie, mas a reencontra e verifica a inanidade de seu temor.

Finalmente, na sexta e última parte do romance, Julie tenta em vão unir Claire e Saint-Preux. Ela reencontra sua calma na devoção e em seus pensamentos místicos. Para salvar um de seus filhos que estava se afogando, Julie mergulha no lago de Genebra. Depois disso, cai doente e morre como cristã. Saint-Preux recebe uma última carta de sua amada. Nela, Julie comenta um sonho em que recomenda que ele se case com Claire, permaneça junto com o Sr. de Wolmar e se incumba da educação de seus filhos. Mas Saint-Preux se recusa a isso e cai no desespero.

Tratado político

O Contrato Social é um estudo das condições de possibilidade de uma sociedade justa e legítima, uma forma de associação que conserve nos indivíduos a igualdade e a liberdade que eles têm por natureza. Para isso, é preciso instituir um tipo de sociedade em que os indivíduos permaneçam livres (a liberdade é um direito inalienável), em que a propriedade seja legitimada, em que os indivíduos possam ser virtuosos. A lei é um ato da "vontade geral" (que não é a mesma coisa que a vontade de todos ou que a vontade da maioria, mas, sim, a vontade moral) e expressão da soberania e não pura convenção e arbitrariedade. Como é ela quem determina o destino do Estado, os legisladores têm um papel relevante no Contrato Social e devem se assemelhar aos deuses. A vontade moral (igual em todos os homens, é sempre reta) do indivíduo deve prevalecer sobre os desejos (que são particulares). Dessa forma, o indivíduo renuncia a si mesmo como ser sensível, só para se afirmar como ser moral, ou seja, a vontade individual renuncia a ela mesma, em prol da vontade geral.

Trata-se de um texto filosófico, escrito no plano dos princípios, discutindo em quatro livros, respectivamente, a natureza do contrato, as considerações sobre a soberania e a lei, as considerações sobre o governo e suas diversas formas e, por fim, as instituições particulares.

O educando abstrato

O Emílio ou Da Educação é uma obra fundamental para a pedagogia, fruto da dedicação de vinte anos de pesquisas e três de elaboração, um verdadeiro "tratado da bondade humana".

Nesse livro, Rousseau expõe os princípios e os fundamentos da educação, em cinco livros, discorrendo sobre a formação do Emílio, desde o berço até os 25 anos, acompanhado com desvelo e carinho por seu mestre.

Rousseau esclarece que se trata de um construto mental, de uma análise a partir da "marcha da natureza", método que coincide com aquele utilizado na composição do segundo Discurso, que, também, é uma obra em que ele pretende dar a conhecer a verdadeira natureza humana. Emílio é, assim, o aluno imaginário de Rousseau que representa esse homem natural e que vai socializar-se, desnaturalizar-se, de modo a não corromper suas disposições naturais e a preservar sua bondade original.

No Livro I, Rousseau trata da educação do nascimento até 5 anos, que deve favorecer o desenvolvimento físico. O princípio da liberdade já está presente na recusa em enfaixar os bebês, na possibilidade de descobrir o mundo pelos sentidos e, além disso, Rousseau defende a importância do aleitamento materno.

Rousseau apresenta, no Livro II, a educação de 5 a 12 anos, tempo da "educação negativa", isto é, uma educação sem preceitos ou discursos, mas por intermédio de experiências e vivências no contato direto com a natureza. Nada de livros. Emílio vai ler no "livro da natureza e, assim, terá seu coração livre do vício e o espírito do erro".

A educação de 12 a 15 anos é apresentada no Livro III. Trata-se da fase dos estudos, das descobertas, mas é a "educação das coisas" e não dos homens. Emílio aprenderá, orientado por seu mestre, sobre a divisão social do trabalho, sobre os diferentes ofícios, não teoricamente, mas na prática e terá a oportunidade de "reinventar a ciência".

No livro IV, a educação de 15 a 20 anos, Emílio terá uma educação moral e religiosa. Ele irá conhecer os homens e as molas propulsoras das ações humanas, agora não mais por sua experiência, mas pela experiência de outrem, por intermédio da História e será incentivado a ter piedade por seu semelhante. Há um trecho nesse livro – "A Profissão de Fé do Vigário Saboiano" – em que Rousseau faz uma belíssima reflexão sobre a questão religiosa e discorre sobre a religião natural e a moral da consciência.

O Vigário, em sua profissão de fé, mostra que é possível resgatar a pureza moral da religião, que se encontra além dos dogmas e da intolerância da Igreja Católica. Essa religião natural é diferente da religião histórica ou particular e não se encaixa nas estruturas eclesiásticas. O Deus da Profissão de fé é conhecido pela razão e pela consciência. É uma teodiceia que recusa a revelação, a ideia dos milagres e do pecado original, como, também, critica a educação da época no aspecto religioso. Para Rousseau, o catecismo era um ensino pernicioso para as crianças.

Finalmente, no Livro V, a educação de 20 a 25 anos, Emílio conhecerá Sofia, a mulher ideal com quem se casará posteriormente. Então, tem lugar a educação política com viagens pela Europa e lições de direito político, tendo como base o Contrato Social, do qual Rousseau apresenta um resumo das principais ideias.

No início de 1762, em Paris, a publicação de Emílio ou Da Educação repercute em escândalo e os livros são apreendidos pela polícia. O Parlamento de Paris, em 9 de junho desse mesmo ano, ordena que o livro seja queimado em público, interditando a sua venda. Além disso, esse mesmo Parlamento ordena que Jean-Jacques Rousseau, cujo nome se encontra no frontispício do livro, seja preso e interrogado. Rousseau não chega a ser preso, porque foge em busca de abrigo.

A INSPIRAÇÃO DE ROUSSEAU

Todas as obras de Rousseau apresentadas neste artigo, das quais demos apenas uma breve ideia, já estão traduzidas para o português, o que facilita o contato do leitor com esse autor tão celebrado e tão polêmico.

São inegáveis as qualidades literárias – eloquência, emoção, argumentação, rigor, estilo sensível – desse escritor tão fecundo e nunca é demais enfatizar o quanto sua leitura é relevante e oportuna. É por isso que se torna necessário fazer uma leitura cuidadosa, com a atenção voltada ao detalhe, à microleitura, para entendermos e refletirmos sobre suas proposições, sem nos deixarmos enganar pelas aparências, em busca do sentido profundo do texto. Vale lembrar que antes de afetar a nossa razão, a obra de Rousseau nos toca o coração.

A obra de Rousseau é um apelo à liberdade e à solidariedade, um convite à ação, pois impulsiona cada um de nós a nos confrontarmos com a nossa essência, com a nossa condição humana e a assumirmos as responsabilidades de nossos próprios atos, posto que, como ele adverte, Deus deu ao homem "a liberdade para fazer o bem, a consciência para querê-lo, e a razão para amá-lo".

Referências bibliográficas

Adorno, T. W. & Horkheimer, M. Dialética do Esclarecimento: Fragmentos Filosóficos. Trad. Guido A. A. Rio de Janeiro: Zahar, 1986.

Arendt, H. "A Crise na Educação". In: Entre o Passado e o Futuro. Trad.: Mauro W. B. de Almeida – São Paulo: Perspectiva, 1972.

Ariès, Philippe. História Social da Criança e da Família. Rio de Janeiro: Guanabara, 1986.

Aristóteles. Ética a Nicômaco; Trad.: Antônio de C. Caeiro. Lisboa: Quetzal Editores, 2004.

Bacon, Francis. A Nova Atlântida; Trad. José A. R. de Andrade. São Paulo: Abril Cultural, 1973.

Barros, Gilda N. Maciel de. "Emílio: solidário ou solitário?". O Estado de S. Paulo, Suplemento de Cultura, VIII (564), 01/06/1991.

Barros, Gilda N. Maciel de. Platão, Rousseau e o Estado Total. São Paulo: T. A. Queiroz, 1995.

Barros, Gilda N. Maciel. Rousseau e a Questão da Cidadania. Disponível em <www.hottopos.com/convenit2/rousseau.htm>. Acesso em 4/10/2008.

Barros, R. S. M. de. "Meditação sobre Rousseau". In: Barros, Roque S. M. de. Ensaios sobre Educação. São Paulo: Editora da Universidade de São Paulo/Editorial Grijalbo, 1971, pp.13-109.

Bloom, A. "Emílio". In: Bloom, Allan. Gigantes e Anões – Ensaios (1960 – 1990). Trad. Wladir Dupont. São Paulo: Best Seller, 1990, pp. 125-166.

Bloom, A." Rousseau: a Hora da Virada". In Bloom, Allan. Gigantes e Anões – Ensaios (1960 – 1990). Trad. Wladir Dupont. São Paulo: Best Seller, 1990, pp. 167-201.

Boto, C. A Escola do Homem Novo: entre o Iluminismo e a Revolução Francesa. São Paulo: Unesp, 1996.

Boto, C. "Na Revolução Francesa, Os Princípios Democráticos da Escola Pública, Laica e Gratuita: o Relatório de Condorcet". Educação & Sociedade, Campinas, v. 24, n. 84, 2003.

Burgelin, P. La Philosophie de l'Existence de J.-J. Rousseau. Paris: PUF, 1952.

Cassirer, Ernst. A Filosofia do Iluminismo. Trad. Álvaro Cabral. 2ª ed. Campinas: Editora da Unicamp, 1994.

Cassirer, Ernst. A Questão Jean-Jacques Rousseau. São Paulo: Unesp, 1999.

Cerizara, B. Rousseau: a Educação na Infância. São Paulo: Scipione, 1990.

Château, J. (org.). Os Grandes Pedagogistas. São Paulo: Nacional, 1978.

Château, J. Jean-Jacques Rousseau: La Philosophie de l'éducation. 2ª ed. Paris: Vrin, 1969.

Comte, A. Discurso sobre o Espírito Positivo; Trad. José A. Giannotti e Miguel Lemos. São Paulo: Abril Cultural, 1983.

Condorcet, J. A. N. de C., Marquês de. Cinco Memórias Sobre a Instrução Pública; Trad. Maria das G. de Souza. São Paulo: Editora Unesp, 2008.

Condorcet, J. A. N. de C., Marquês de. Esboço de Um Quadro Histórico dos Progressos do Espírito Humano; Trad. Carlos A. R. de Moura. Campinas: Editora da Unicamp, 1993.

Condorcet, J. A. N. de C., Marquês de. Fragmento sobre a Atlântida ou Esforços Combinados da Espécie Humana para o Progresso das Ciências. Trad. de Maria das Graças de Souza, s/d (mimeo).

Condorcet, J. A. N. de C., Marquês de. "Informe sobre la Organização General de la Instruccion Publica". Trad.: Domingos Barnés. In: Escritos Pedagógicos. Madri: Talleres Calpe, 1922.

Constant, B. Da liberdade dos Antigos Comparada à Liberdade dos Modernos; Trad. Eduardo Brandão. In: Filosofia Política. Porto Alegre: L&PM, 1985.

Cranston, Maurice. The Noble Savage: Jean-Jacques Rousseau (1754-1762). Chicago: The University of Chicago Press, 1991.

Descartes, Rene. Discurso do Método; Trad.: Maria E. de A. P. Galvão. São Paulo: Martins Fontes, 2007.

Diderot, D. & D´Alembert. Encyclopédie, ou Dictionnaire Raisonné des Sciences des Arts et des Métiers. Paris: 1751.

Diderot, D. Mémoires pour Catherine II. In: Ouvre, t. III – Politique. Paris: Robert Laffont, 1995.

Diderot, D. "Plano de uma Universidade". Trad. J. Guinsburg. In: Diderot: Obras I - Filosofia e Política. São Paulo: Perspectiva, 2000.

Diderot, D. Verbetes Políticos da Enciclopédia. Trad. Maria das G. de Souza. São Paulo: Discurso Editorial/Editora da Unesp, 2006.

Dionizio Neto, Manoel. Educação e Liberdade em Jean-Jacques Rousseau. São Carlos. Tese de Doutorado em Educação – Universidade Federal de São Carlos, 2004.

Dussel, E. Ética da Libertação na Idade da Globalização e da Exclusão. Petrópolis: Vozes, 2000.

Eby, F. História da Educação Moderna: Teoria, Organização e Práticas Educacionais. 5ª ed. Porto Alegre: Globo, 1978.

Fortes, L. R. S. "Apresentação". In: Rousseau, Jean-Jacques. Considerações sobre o governo da Polônia e sua Reforma Projetada. Trad. Luiz R. S. Fortes. São Paulo: Brasiliense, 1982.

Fortes, L. R. S. "O Engano do Povo Inglês". Discurso, São Paulo, n. 8, 1978.

Fortes, L. R. S. Paradoxo do Espetáculo. São Paulo: Discurso Editorial, 1997.

Fortes, L. R. S. Rousseau: da Teoria à Prática. São Paulo: Ática, 1976 (Ensaios, 21).

Fortes, L. R. S. "Dos Jogos de Teatro no Pensamento Pedagógico e Político de Rousseau". Discurso, n. 10, São Paulo, 1979.

Fortes, L. R. S. "Rousseau, o Teatro, a Festa e Narciso". Discurso, n. 17, São Paulo, 1988.

Fortes, L. R. S. Rousseau: o Bom Selvagem. São Paulo: FTD, 1989 (Prazer em conhecer).

Francisco, M. de F. S. "Autoridade e Contrato Pedagógico em Rousseau". In: Aquino, J. G. (org.). Autoridade e Autonomia na Escola: Alternativas Teóricas e Práticas. São Paulo: Summus, 1999, pp. 101-114.

Francisco, M. de F. S. "A primeira lição de moral – o episódio das favas no Emilio de Rousseau". Cadernos de História e Filosofia da Educação, v. II, n. 4, 1998, pp. 35-42.

Habermas, J. "Notas Programáticas para a Fundamentação de uma Ética do Discurso". In: Habermas, J. Consciência Moral e Agir Comunicativo. Trad. Guido A. de Almeida. Rio de Janeiro: Tempo Brasileiro, 1989.

Hobbes, T. Leviatã. Trad.: José P. Monteiro e Maria B. N. da Silva. In: Hobbes, T. Hobbes. São Paulo: Abril Cultural (Os Pensadores), 1974.

Hüsen, Jörn. Study in Metahistory. Pretoria: Human Sciences Research, 1999.

Incontri, D. "A Crise do Saber e os Clássicos da Educação". Revista Internacional d'Humanitas, v. 6, 2003. Disponível em < www.hottopos.com/com/rih6/dora2.htm>. Acesso em: 18/12/1010.

Incontri, D. "Emílio ou a Natureza Humana Resgatada". O Estado de S. Paulo Suplemento de Cultura, VII (513), 02/06/90.

Incontri, Dora. Pedagogia Espírita: Um Projeto Brasileiro e suas Raízes Histórico-Filosóficas. Bragança Paulista: Comenius, 2001.

Kant, I. Crítica da Razão Pura. Trad.: Manuela P. dos Santos e Alexandre F. Morujão. Lisboa: Calouste Gulbenkian, 1989.

Kant, I. Fundamentação da Metafísica dos Costumes. Trad. Paulo Quintela. Lisboa: Edições 70, 1998.

La Boétie, E. de. Discurso da Servidão Voluntária. Trad. Laymert G. dos Santos. São Paulo: Brasiliense, 1999.

La Chalotais, L-R. de C. de. Essai d'éducation Nationale ou Plan d'études pour la Jeunesse. Paris: Hachette, 1976.

Lefort, Claude. A Invenção Democrática: Os Limites do Totalitarismo. 2ª ed. São Paulo: Brasiliense, 1987.

Lewin, Boleslao. Rousseau en la Independencia de Latinoamerica. Buenos Aires: Depalma, 1980.

Locke, J. Segundo Tratado sobre o Governo. Trad. Anoar Aiex e Jacy Monteiro. In: Locke, J. John Locke. São Paulo: Abril Cultural, 1983 (Os Pensadores).

Machado, L. G. Homem e Sociedade na Teoria Política de Jean-Jacques Rousseau. São Paulo: Livraria Martins Editora/ Editora da Universidade de São Paulo, 1968.

Magalhães, A. M. & Stoer, S. R. Orgulhosamente Filhos de Rousseau. Porto: Profedi-
ções, 1998.

Maquiavel, N. O Príncipe: Escritos Políticos; Trad.: Maria J. G. In: Maquiavel, N. Maquiavel. São Paulo: Abril Cultural, 1983 (Os Pensadores).

Matos, L. F. B. F. Introdução: teatro e amor-próprio. In: Carta a D'Alembert; Trad.: Roberto Leal Ferreira. Campinas: Editora da Unicamp, 1994.

Montesquieu, C. L. S. Do Espírito das Leis; Trad. Gabriela A. D. Barbosa. São Paulo: Brasil Ed., 1960.

Nascimento, M. M. do N.. Opinião Pública e Revolução. São Paulo: Nova Stella/ Edusp, 1989.

Nascimento, M. M. do N. "O Contrato Social: entre a Escala e o Programa". Discurso, n. 17, São Paulo, 1988, pp. 119-130.

Oliveira, A. E. de. Jean-Jacques Rousseau: Pedagogia da Liberdade. João Pessoa: Ed. da
UFPB, 1977.

Palissot, Charles. Les Philosophes. Disponível em <http://gallica.bnf.fr/ark:/12148/document>. Acesso em 16/06/2008.

Pires, J. H. "Rousseau e o Emílio". In: Paes, José Paulo (org.). Livros que Abalaram o Mundo. São Paulo: Cultrix, 1983.

Pissarra, M. C. P. Rousseau: a Política como Exercício Pedagógico. São Paulo: Moderna, 2003.

Pitano, S. de C. Educação e Política em J-J Rousseau e Paulo Freire. Pelotas: Seiva, 2004.

Platão. A República. Trad.: Albertino Pinheiro. São Paulo: Atena, 1962.

Py, G. Rousseau et les Éducateurs. Oxford: Voltaire Fondation, 1997.

Rawls, J. História da Filosofia Moral. Trad.: Ana Aguiar Cotrim. São Paulo: Martins Fontes, 2005.

Rawls, J. Uma teoria da Justiça. São Paulo: Martins Fontes, 1997.

Rousseau, J.-J. Carta a Christophe de Beaumont e Outros Escritos sobre a Religião e a Moral. São Paulo: Estação Liberdade, 2005.

Rousseau, J.-J. As Confissões, 2 v. Rio de Janeiro: Edições de Ouro, 1965.

Rousseau, J.-J. Carta a D'Alembert. Trad.: Roberto L. Ferreira. Campinas: Editora da Unicamp, 1994.

Rousseau, J.-J. Considerações sobre o Governo da Polônia e sua Reforma Projetada. Trad. Luiz R. S. F. São Paulo: Brasiliense, 1982.

Rousseau, J.-J. Discurso sobre a Economia Política. Trad.: Maria C. Peres Pissarra. Petrópolis: Vozes, 1995 (Clássicos do Pensamento Político, 15).

Rousseau, J.-J. Discurso sobre a Origem e os Fundamentos da Desigualdade entre os Homens. Trad. Lourdes S. Machado. In: Rousseau, J-J. Rousseau. São Paulo: Nova Cultural, 1991 (Os Pensadores).

Rousseau, J.-J. Discurso sobre as Ciências e as Artes. In: Rousseau, J-J. Rousseau. São Paulo: Abril, 1973 (Os Pensadores).

Rousseau, J.-J. Do Contrato Social. In: Rousseau, J-J. Rousseau. São Paulo: Abril, 1973 (Os Pensadores).

Rousseau, J.-J. Do contrato social; Ensaio sobre a origem das línguas; Discurso sobre a origem e os fundamentos da desigualdade entre os homens; Discurso sobre as Ciências e as Artes. In: Rousseau, J-J. Rousseau. São Paulo: Abril Cultural, 1983 (Os Pensadores).

Rousseau, J.-J. Emile e Sophie ou Os Solitários. Porto Alegre: Paraula, 1994.

Rousseau, J.-J. Émile ou De l'Éducation. Paris: Garnier-Flammarion, 1966.

Rousseau, J.-J. Emílio ou Da Educação. Rio de Janeiro: Bertrand Brasil, 1992.

Rousseau, J.-J. Emílio ou Da Educação. Trad. Roberto L. Ferreira São Paulo: Martins Fontes, 1999.

Rousseau, J.-J. Ensaio sobre a Origem das Línguas. Trad. Lourdes S. Machado. In: Rousseau, J-J. Rousseau. São Paulo: Nova Cultural, 1991 (Os Pensadores).

Rousseau, J.-J. Ensaios Pedagógicos. Bragança Paulista: Comenius, 2004.

Rousseau, J.-J. Júlia ou A Nova Heloísa: Cartas de Dois Amantes Habitantes de uma Cidadezinha ao pé dos Alpes. São Paulo: Hucitec, 1994.

Rousseau, J.-J. Júlia ou A Nova Heloísa. Trad. Fulvia M. L. Moretto. Campinas: Editora da Unicamp, 1994.

Rousseau, J.-J. Oeuvres Complètes. Paris: Pléiade, t. I 1959; t. II e t. III 1964; t. IV 1969.

Rousseau, J.-J. Os Devaneios do Caminhante Solitário. Brasília: Editora da UnB, 1995.

Rousseau, J.-J. Projeto de Constituição para a Córsega; Trad. de Lourdes dos S. Machado. Introdução e notas de Lourival Gomes Machado. Porto Alegre: Editora Globo, 1962.

Rousseau, J.-J. "Projeto para a Educação do Senhor de Sainte-Marie". In: Rousseau, J-J. Ensaios Pedagógicos. Trad. e apres. Priscila G. Nacarato. Bragança Paulista: Comenius, 2004, pp. 49-65.

Snyders, G. La Pédagogie en France aux XVIIe. et XVIIIe. siècles. Paris: PUF, 1965.

Souza, M. das G. de. "Apresentação". In: Condorcet, J. A. N. de C. Esboço de Um Quadro Histórico dos Progressos do Espírito Humano. Trad. Carlos A. R. de Moura. Campinas: Editora da Unicamp, 1993.

Souza, M. das G. de. Ilustração e História: O Pensamento sobre a História no Iluminismo Francês. São Paulo: Discurso Editorial/Fapesp, 2001.

Starobinski, J. Jean-Jacques Rousseau: a Transparência e o Obstáculo. Trad. Maria L. Machado. São Paulo: Companhia das Letras, 1991.

Starobinski, J. "Introduction à l'Émile ou De l'Education. In: Rousseau, J.-J. Oeuvres Complètes, t. iv, Paris: Pléiade, 1969.

Starobinski, J. J. J. Rousseau: la Transparence et l'obstacle: suivi de Sept Essais sur Rousseau. Paris: Gallimard, 1971.

Streck, D. Rousseau & a Educação. Belo Horizonte: Autêntica, 2004.

Tocqueville, A. de. A Democracia na América; Trad.: Neil R. da Silva. Belo Horizonte: Itatiaia, 1962.

Trousson, Raymond. Jean-Jacques Rousseau. 2ª ed. Paris: Tallandier, 2003.

Vargas, Y. Introduction a l'Émile de Rousseau. Paris: PUF, 1995.

Volpe, Galvano Della. Rousseau e Marx a Liberdade Igualitária. Lisboa: Edições 70, 1973.

Voltaire. Cartas Inglesas. Trad. Bruno da Ponte e João L. Alves. In: Voltaire. Voltaire. São Paulo: Abril Cultural, 1973 (Os Pensadores).

Voltaire. Dicionário Filosófico. Trad. Bruno da Ponte e João L. Alves. In: Voltaire. Voltaire. São Paulo: Abril Cultural, 1973 (Os Pensadores).

Voltaire. Tratado de Metafísica. Trad.: Marilena Chauí. In: Voltaire. Voltaire. São Paulo: Abril Cultural, 1973 (Os Pensadores).

Weinberg, G. Modelos Educativos en la Historia de América Latina. Buenos Aires: AZ, 1995.

Wertz, Nikolaus. Pensamiento Sociopolítico Moderno en América Latina. Caracas: Nueva Sociedad, 1995.